Super E1

Gianrico Carofiglio
Una mutevole verità

Einaudi

Prima edizione «Stile Libero»

www.einaudi.it

ISBN 978-88-06-23788-2

Una mutevole verità

Prologo

Cardinale Lorenzo detto *'u tuzz'* – cioè «la testata» – era un rapinatore, specializzato in banche e uffici postali. Lui e i suoi complici avevano una tecnica semplice e molto efficace: rubavano un'auto di grossa cilindrata, o addirittura un camion; aspettavano l'orario di chiusura al pubblico, quando le casseforti erano aperte, i sistemi di sicurezza a tempo disattivati e gli impiegati contavano il denaro. Allora lanciavano l'auto – o il camion – a marcia indietro contro la vetrina blindata, la sfondavano, entravano armi in pugno, prendevano il denaro e andavano via. Ovviamente con una macchina diversa. Quella utilizzata per lo sfondamento rimaneva infilata nella vetrina come un'installazione postmoderna, e così la ritrovavano la polizia o i carabinieri.

Il maresciallo Pietro Fenoglio lo conosceva bene, *'u tuzz'*. Per mesi, con i ragazzi della sua squadra, aveva indagato su di lui e quella mattina, finalmente, lo avrebbe arrestato, in esecuzione – come si dice – di un'ordinanza di custodia cautelare per alcune di quelle rapine.

Il provvedimento del giudice era di almeno due settimane prima, ma quando erano andati a prenderlo *'u tuzz'* non era in casa. Lo avevano cercato per giorni, fino a quando un confidente non aveva passato l'informazione giusta.

Il figlio di Cardinale soffriva di attacchi epilettici, e

quella mattina il padre lo avrebbe accompagnato al policlinico per una Tac al cervello.

Erano in tre: il brigadiere Sportelli, il carabiniere scelto Montemurro e Fenoglio. Parcheggiarono la Ritmo a una ventina di metri dall'ingresso della clinica neurologica e, proprio come aveva detto l'informatore, alle undici arrivarono Cardinale, la moglie e il bambino.

– Eccoli, – disse Sportelli, estraendo la pistola e aprendo la portiera.

– Che fai con quella?

Il brigadiere rimase con una mano sulla maniglia e l'altra sul calcio dell'arma.

– Non lo andiamo a prendere?

– Vuoi sparare al bambino?

– Che significa?

Fenoglio ignorò la domanda.

– Tu aspettaci qui, – disse al carabiniere scelto Montemurro. – È improbabile che succeda, ma se Cardinale dovesse uscire da solo, magari di corsa, fermalo –. Poi disse a Sportelli: – Noi entriamo, ma quella falla sparire, ché mi rende nervoso.

Nell'atrio della clinica chiesero a un infermiere dove si facessero le Tac e quello indicò un corridoio che terminava in una sala d'attesa. Cardinale era seduto con la testa fra le mani. Si accorse del maresciallo quando gli si sedette accanto e gli toccò la spalla.

– Ciao, Lorenzo.

'U *tuzz'* ebbe un lieve sussulto. Poi si voltò e si strinse nelle spalle in un impercettibile gesto di rassegnazione.

– Buongiorno, maresciallo.

– Come sta il bambino?

– Non lo sappiamo. Adesso stanno facendo la… come

si chiama... la Tac. Mia moglie sta con lui, lí dentro. Ha gli attacchi epilettici e non sanno perché. Dice che può essere un tumore...

Rimasero in silenzio qualche minuto, guardando tutti e due un punto imprecisato davanti a loro.

– Ti devo arrestare, lo sai, vero?

– Lo so. Per piacere, fatemi prima sentire come sta mio figlio. Fatemi parlare con il dottore e poi me ne vengo con voi.

Fenoglio annuí. Poco dopo si affacciò un medico.

– Signor Cardinale...

'U *tuzz'* guardò Fenoglio, che gli fece un cenno col capo.

– Ti aspetto qua. Non mi fare scherzi.

Cardinale si alzò e scomparve dietro una porta bianco crema mentre il brigadiere seguiva la scena esterrefatto.

– Maresciallo...

– Non ti preoccupare, adesso torna e ce ne andiamo tutti insieme in caserma.

– E se esce da dietro, da qualche parte?

– Se esce da dietro facciamo insieme una bella relazione in cui raccontiamo quello che è successo, chiarendo che è tutta colpa del maresciallo Pietro Fenoglio. Stai tranquillo.

Un quarto d'ora dopo la porta color crema si aprí di nuovo. Ne uscirono Cardinale e la moglie, con il bambino fra loro. Fenoglio si alzò, la donna gli tese la mano, lui la strinse delicatamente.

– Grazie, maresciallo.

– Allora, che dice il medico?

– Niente tumore, per fortuna, – rispose Cardinale.

– Dice il dottore che spesso non si sa da dove viene l'epilessia. Deve prendere delle medicine per qualche anno, ma dicono che si guarisce, – aggiunse la moglie.

– Come si chiama questo giovanotto?

– Francesco. Voi avete figli, maresciallo?
Fenoglio scosse la testa. Parve sul punto di dire qualcosa al bambino, poi ci ripensò. Era il momento di chiudere la scena.
– Bene. Adesso credo proprio che dobbiamo andare, – disse Fenoglio.
Cardinale annuí, baciò la moglie e si piegò sulle ginocchia per guardare negli occhi il figlio.
– *Uaglio'*, papà adesso deve partire con questi suoi amici, per lavoro.
– Quando torni? – chiese il piccolo con un tono serio. Come se avesse capito.
– Presto. Devi fare il bravo, mi raccomando –. E rivolgendosi alla moglie: – Quando vai a casa mi fai un borsone e me lo porti in caserma –. La moglie fece di sí con la testa. Era una abituata a certe richieste e a quel genere di vita. – Mi dovete mettere le manette? – disse poi Cardinale, sottovoce, a Fenoglio.
– Andiamo. Buongiorno, signora.
Erano ancora in macchina e stavano arrivando in caserma quando dalla sala operativa giunse la segnalazione. Confusa, come accade per le morti violente con sospetto di omicidio. Una donna delle pulizie aveva trovato il datore di lavoro morto, in un lago di sangue, nella cucina di casa. Sul posto si stava già portando una pattuglia del nucleo radiomobile.
Sarebbe stata una lunga giornata, pensò Fenoglio.

Primo

Fenoglio incaricò il brigadiere Sportelli di preparare
gli atti che riguardavano Cardinale – verbale di notifica
dell'ordinanza di custodia, biglietto di carcerazione, nota
per la procura e per il giudice – e organizzò un paio di auto. Quella mattina era lui il comandante del nucleo, come
maresciallo anziano. Il capitano stava frequentando il corso per diventare maggiore e mancava da mesi; il tenente
era un ragazzo cagionevole, si era ammalato e mancava
da giorni. In realtà c'era il maresciallo Lombardi, molto
piú anziano di lui – molto piú anziano di *chiunque* – ma
la sua presenza era da tempo solo un fatto decorativo.
Per cosí dire.

Attraversarono la città, bucando il traffico con i
lampeggianti e le sirene, e in un quarto d'ora arrivarono all'indirizzo indicato dalla sala operativa. Era un
complesso di edilizia popolare anni Cinquanta, compo-
sto di vari edifici, viali e parcheggi interni. Al cancello di ingresso li aspettava un appuntato in divisa che,
precedendoli a piedi con passo da bersagliere, ginnico e
vagamente ridicolo, li condusse alla palazzina dove era
successo il fatto. Davanti al portone c'erano altri carabinieri e una piccola folla di curiosi. Perlopiú persone an-
ziane che parlavano fra loro con espressioni preoccupate.

– Comandi, signor capitano, – disse il piú alto in grado, un brigadiere grasso, strizzato in una divisa che dove-

va risalire a tempi migliori per la sua linea. Fenoglio non l'aveva mai visto, doveva essere un nuovo arrivo del nucleo radiomobile.

– Non sono il capitano. Sono il maresciallo Fenoglio. Cosa è successo qua?

Il brigadiere esitò. Pareva deluso, come se l'assenza di un ufficiale svalutasse l'importanza del fatto e del proprio intervento, per primo, sulla scena del crimine.

– Il morto è Fraddosio Sabino. Cinquantun anni, viveva da solo in un appartamento al secondo piano.

– Chi lo ha trovato?

– Quella donna –. Il brigadiere indicò una signora ossuta, dalla carnagione grigia e dall'età indefinibile, che, appoggiata contro il muro a una decina di metri, fumava avidamente una sigaretta. – Faceva le pulizie nell'appartamento del Fraddosio. Oggi è arrivata verso mezzogiorno. Ha le chiavi, perché spesso il soggetto non è in casa, ci ha detto. È entrata in cucina e ha visto il corpo.

– Perché pensiamo sia un omicidio?

– Il soggetto ha la gola tagliata, c'è sangue dappertutto, maresciallo.

In effetti la gola tagliata era un accettabile indizio di omicidio, si disse Fenoglio.

– Va bene, andiamo a vedere.

Era una palazzina di cinque piani con la facciata a intonaco, un po' triste. Nell'atrio l'odore di cibo cucinato si mescolava a quello della varechina usata qualche ora prima per lavare le scale.

Sul pianerottolo c'era un altro carabiniere in divisa che scattò sull'attenti e aprí la porta, impugnando il pomello senza guanti e senza alcuna precauzione. Ammesso che qualcuno avesse lasciato delle impronte digitali, e ammesso che quelle impronte non fossero state già cancellate da chi era entrato prima – donna di servizio, condomini e chissà chi altro –, adesso certamente non c'erano piú. Nei sopralluoghi si vedono cose che non vengono raccontate nelle serie televisive. Tutti, dall'ultimo carabiniere o poliziotto in divisa all'ufficiale o al magistrato, si sentono autorizzati ad avvicinarsi senza precauzioni, a toccare quello che capita, addirittura a maneggiare i reperti, salvo poi riporli con cura in buste di plastica ormai inutili.

Una volta, sulla scena di un omicidio di mafia, Fenoglio aveva visto un collega recuperare a mano i bossoli di kalashnikov nelle vicinanze del cadavere. Poi, all'arrivo della scientifica, li aveva rimessi a terra. *Piú o meno* dove li aveva presi, aveva precisato con molta naturalezza.

Entrando nell'appartamento, Fenoglio percepí come una traccia nell'aria. Fu un attimo, un'impressione, quasi una cosa immaginata, un ricordo che non riesci a ricordare, un pensiero fastidioso e inafferrabile.

In cucina le sensazioni olfattive si fecero piú nitide, e spiacevoli: l'odore ferroso del sangue, quello disgustoso della morte violenta.

Il corpo era sul pavimento, con un braccio appoggiato in modo bizzarro su una sedia rovesciata. Forse l'uomo, cadendo, aveva cercato di aggrapparsi allo schienale, poi era rimasto cosí, in una postura che sembrava una messa in scena.

Una mano era vicina alla gola, coperta di sangue, come il pavimento e gli abiti. Probabilmente, per i pochi istanti di vita che gli erano rimasti dopo la coltellata, Fraddosio aveva cercato di fermare il sangue che schizzava dalla carotide recisa. A terra c'era una caffettiera e tutto intorno caffè rovesciato che in alcuni punti si mescolava col sangue. Sul tavolo di formica rosa, due tazzine pulite, pronte con i piattini e i cucchiaini.

Accanto a Fenoglio c'era l'appuntato Pellecchia, vecchio sbirro di vecchia scuola. Come al solito masticava un sigaro e tirava su col naso, storto per via di una testata presa tanti anni prima.

– Conosceva bene l'assassino. Gli stava offrendo il caffè e poi è successo qualcosa, – disse l'appuntato.

– Già. Chissà cosa. Diamo un'occhiata al resto della casa, – disse Fenoglio.

L'appartamento era piuttosto spoglio: pochi mobili, pochi oggetti, niente quadri alle pareti, niente libri. Dentro gli armadi pochi vestiti, solo da uomo. Nella camera da letto si avvertiva un lieve odore di stantio. L'assassino non era entrato in stanze diverse dalla cucina; o se lo aveva fatto non aveva lasciato tracce del suo passaggio.

– Avete chiamato il magistrato di turno e il medico legale? – domandò Fenoglio.

Qualcuno rispose che erano stati avvertiti tutti e due e che stavano arrivando.

– Cominciamo a fare le foto e vediamo se per caso in giro ci sono impronte utili. Montemurro, chiama la centrale operativa e chiedi un'interrogazione al Ced su questo tizio. Tonino, – era il nome di Pellecchia, – tu fatti un giro del palazzo e parla con gli inquilini. La morte dovrebbe risalire a non piú di qualche ora fa.

Secondo

Il medico legale confermò l'ipotesi di Fenoglio: il decesso, a occhio e croce, era avvenuto da un paio d'ore; sarebbe stato piú preciso dopo l'autopsia.

L'arma aveva una lama affilata e non seghettata, visto che le due lacerazioni riscontrabili sul collo erano nette e non slabbrate. La vittima aveva cercato di proteggersi – sulla mano c'era una lesione da difesa – ma probabilmente dopo essere già stata colpita una prima volta.

Il pubblico ministero era un magistrato anziano, il dottor Catacchio. Fenoglio lo conosceva bene e in passato gli era piaciuto lavorare con lui. Era una persona onesta, un bravo investigatore e anche un uomo simpatico. Poi doveva essergli successo qualcosa, o forse era solo stato sorpreso dai suoi sessant'anni.

Adesso stava per essere trasferito alla procura generale della corte d'appello – un ufficio inutile, piú o meno una casa di riposo per magistrati – e non gli importava piú niente di niente. Dopo aver dato un'occhiata alla vittima e alla cucina, dopo aver sentito – ma non ascoltato – il medico legale, autorizzò la rimozione del cadavere, strinse la mano a Fenoglio con un sorriso fiacco, quasi di scusa – *non sono piú quello di prima, ma non posso farci niente* – e se ne andò.

– Va bene, Sportelli, tu rimani qui, – disse Fenoglio, – aspetta quelli delle pompe funebri, accompagnali all'obitorio, controlla che sia tutto a posto e rientra. Noi andiamo in caserma con la donna delle pulizie e la prendiamo a verbale. Poi ci organizziamo sul da farsi.

In quel momento rientrò nell'appartamento Pellecchia, masticando il sigaro, tirando su col naso e, nei limiti in cui la sua faccia inespressiva lo permetteva, mostrando una certa eccitazione.

– Ci sta una che forse ha visto qualcosa.

– Chi? – domandò Fenoglio.

– Una vecchia che abita qua sotto.

Insomma, Pellecchia aveva parlato con una signora del primo piano che, un paio d'ore prima, aveva incontrato, davanti al portone, un ragazzo mai visto nel palazzo che se ne andava in tutta fretta.

– Dov'è adesso questa tizia?

– A casa sua. Te lo dico subito, però: è un po' strana. Sembra una matta.

– Andiamo a sentire.

La donna doveva avere almeno settantacinque anni, forse anche di piú. Era bassa e obesa: una specie di Buddha femmina, ma con occhi piccoli e sospettosi, e un'espressione carica di indefinito risentimento.

La casa odorava di naftalina e di polvere, e c'erano dappertutto pile di vecchi giornali scandalistici con le copertine in bianco e nero, sacchetti di plastica pieni di chissà cosa, mucchi di abiti, coperte, strofinacci.

Si sistemarono nel soggiorno, dove gli accumuli di oggetti e di buste erano meno densi. Fenoglio e Pellecchia si sedettero su un divano sfondato che in passato doveva essere stato rosso.

– Le dispiace ripetermi il suo nome, signora? – disse Fenoglio.

– Lattarulo Graziella, mi chiamo. Che poi Lattarulo è

il nome di mio marito, che però è morto. Da signorina mi chiamo Cassano Graziella.

Lasciò passare qualche secondo, poi, chissà per quale motivo, decise che era necessario fornire ulteriori informazioni sulla non recente dipartita del signor Lattarulo.

– Mio marito è morto sette anni fa, che lo ricoverarono al policlinico e ci venne l'infezione, che doveva uscire dopo tre giorni e invece è uscito con i piedi avanti.

– Va bene, Graziella. Ci dispiace per tuo marito ma adesso ripeti al maresciallo quello che hai detto a me, – disse Pellecchia con tono già spazientito.

Quella si guardò attorno per una decina di secondi, con l'aria di una che si chiede se e cosa replicare. Non trovò nulla e alla fine cominciò il suo racconto.

– Stavo tornando a casa, che ero andata a fare la spesa dal fruttivendolo, che avevo preso i carciofi e le patate perché poi ho preparato la tiella. La conoscete la tiella di patate e carciofi?

Pellecchia stava per intervenire di nuovo. Fenoglio lo fermò con un cenno della mano.

– Ottima, la tiella di patate e carciofi. Lei la fa anche con il limone?

– E per forza, senza il limone la devo fare?

– Certo, è chiaro. Senza il limone non ha senso. Quindi ci stava dicendo che era andata a fare la spesa e stava tornando a casa con carciofi e patate. Ha incontrato qualcuno?

– Mo' ce l'ho detto a quello, – fece un gesto nervoso in direzione di Pellecchia, – che avevo aperto il portone quando è arrivato questo giovane che andava scappando.

– Lo hai visto bene in faccia, questo giovane? – chiese Pellecchia, alzandosi dal divano e dalle sue molle sfondate.

– Benissimamente l'ho visto.

– E com'era?

– Alto, un poco come se era abbronzato. Io ci ho detto: «Chi siete voi, giovane? Che fate in questo condominio?»

– E quello?

– Quello ha detto le cazzate, scusate il termine.

– Cioè?

– Ha detto che doveva consegnare un pacco ma che aveva sbagliato indirizzo. Diceva che doveva andare in un'altra palazzina. Ma era una cazzata.

– Perché? Non aveva pacchi?

– No, un pacchetto lo teneva. Non era grande, però. Era come che... teneva una qualche cosa incartata, cosí. Non era proprio un pacco.

– E allora perché dici che era una cazzata? – chiese Pellecchia.

– Perché lo ha buttato. Se lo doveva consegnare a qualcuno perché lo ha buttato?

– E come fai a saperlo?

– L'ho visto quando lo ha menato nel cassonetto, poi se n'è andato alla macchina e se n'è andato via e cose.

– Piano, piano. Altrimenti non capiamo, signora. Ha detto di averlo visto gettare l'involto. Giusto?

– Sí, lo ha menato nel cassonetto.

– Poi è salito in macchina e se n'è andato?

– Sissignore.

– Ma lei non era entrata nel portone?

– No, a quel punto volevo vedere che faceva, il giovane. Ho lasciato la spesa per terra e mi sono rimasta là fuori, cioè a metà dentro e a metà fuori, senza farmi accorgere, e l'ho visto che menava il pacchetto e poi andava alla macchina.

– E se n'è andato subito?

– Subito è partita, la macchina.

– E che macchina era?

– Non tanto le so, le marche delle macchine e cose.

– Era grande, piccola, di che colore?

– Normale, era celestina.

– E si ricorda qualche altra cosa?

– No, però so la targa.

Fenoglio trasalí. Pellecchia tirò su col naso.

– Come ha detto, signora? Ricorda il numero di targa?

– No, mica mi ricordo.

– E allora...

– Lo tengo scritto.

– Lo ha scritto?

– Quando sta qualche macchina che non appartiene al condominio io mi scrivo la targa, che tante volte è qualche ladro che è venuto a rubare o qualche altro delinquente. Per dire, una volta di sera stavano due a fare gli affari loro, non so se mi capite, lei mezza nuda. Uno schifo che chiamai la polizia, ma quando arrivarono, quei due sporcaccioni se n'erano già andati, che non lo so come li crescono i genitori. Ci ho dato la targa di quelli, ai poliziotti, ma poi non ho saputo niente, se li hanno arrestati e cose.

– Signora, vuol dire che lei ha un foglietto dove c'è scritto il numero di targa di questa macchina...

– Mo' vi sto a dire che l'ho scritto!

– E dove sta questo foglietto? – le chiese Pellecchia, cercando di controllare l'impazienza ma anche l'eccitazione.

– Li tengo tutti conservati nel cassetto sotto il telefono e cose.

Terzo

La signora Cassano Lattarulo faceva davvero colle-
zione di numeri di targa di autovetture (per lei) sospet-
te. Nel cassetto sotto il telefono c'erano decine e decine di foglietti su ognuno dei quali, con grafia incerta
ma con precisione paranoica, erano annotati una data,
un orario e, appunto, un numero di targa. L'ultimo, in
cima al mucchietto, era di quel giorno, mercoledí 22
novembre 1989.

– Questa è matta veramente, – disse Pellecchia, to-
gliendosi il sigaro di bocca e sputando via un pezzetto di
tabacco. Si erano spostati sul pianerottolo per parlare,
e Fenoglio, ancora incredulo, teneva in mano un pezzo
di carta a quadretti da prima elementare.

– È matta, hai ragione. Chiama la sala operativa e
fallo controllare subito. Anzi, rientra e fallo tu direttamente, il controllo, e fai anche un'interrogazione al Ced
per eventuali precedenti del morto. Avevo detto a Montemurro di chiedergliela e non ci hanno ancora risposto.

– Bisogna cercare nel cassonetto.

– Me la vedo io con qualcuno dei ragazzi. Tu vai, ci
sentiamo appena hai fatto.

Pellecchia andò via, Fenoglio rimase qualche minuto
sul pianerottolo, sovrappensiero. Ottimo, quando un'indagine prende un'accelerazione cosí immediata e rapida.
Però il rischio, in questi casi, è di mettere a fuoco una

cosa soltanto, e di tralasciare ogni altro dettaglio, che
magari è importante o addirittura decisivo. E lí c'era
qualcosa fuori posto, che non era riuscito a identificare.
Un'incoerenza, un elemento dissonante. La dote fondamentale dello sbirro è proprio questa, Fenoglio lo aveva
sempre pensato. Andare alla ricerca delle discontinui-
tà, delle note dissonanti. Percepire quello che agli altri
sfugge: i piccoli oggetti mancanti, le posture innaturali,
i gesti forzati, i lievi affanni, i rossori, gli sguardi che
sfuggono o indugiano troppo. Chi c'è e invece non dovrebbe esserci; chi va piano e invece dovrebbe andare
veloce o chi va veloce e invece dovrebbe andare piano;
chi si guarda attorno o chi sembra non guardare nulla;
la loquacità eccessiva o il mutismo. Le regolarità alte-
rate oppure esasperate. Le presenze o le assenze, come
nel suo racconto preferito di Sherlock Holmes, *Silver
Blaze*. Ogni tanto se la ripeteva, la frase chiave di quel
racconto: perché il cane non ha abbaiato?

Per tanti aspetti il bravo sbirro è come il bravo medico. In un caso come nell'altro è questione di una diversa capacità di percepire. Vista, certo. Ma anche udi-
to, tatto. Olfatto.

Fenoglio risalí nell'appartamento di Fraddosio e rientrò in cucina, dove erano al lavoro i tecnici della scientifica. La sensazione che aveva provato la prima volta
però era scomparsa, come dissolta nell'aria. Dopo qualche minuto decise di tornare dalla Lattarulo. Si sposta-
rono sul balcone dell'appartamento e Fenoglio si fece
indicare il cassonetto in cui, a quanto pareva, il ragazzo
aveva buttato il pacchetto.

– Com'era il pacchetto, signora?

– Cosí, – mise le mani grassocce in parallelo a una
trentina di centimetri di distanza l'una dall'altra.

– Si ricorda il colore?

– Come la carta del pane.

Se non si stava inventando tutto – ma perché avrebbe dovuto? – la vecchia era un testimone da sogno. Era matta, chiaramente, ma anche lucidissima.

– Grandolfo, Lopez, venite con me, ché abbiamo un lavoro piacevole da sbrigare.

Grandolfo e Lopez, brigadiere e appuntato. Nel tempo libero il primo faceva l'istruttore di culturismo, il secondo cantava in un coro. Erano inseparabili.

– Prendete guanti per tutti e tre, andiamo a frugare in un cassonetto.

Sotto gli sguardi incuriositi e un po' preoccupati della piccola folla che era rimasta davanti al portone, cominciò l'operazione di svuotamento e ispezione del cassonetto. Grandolfo, con un lungo gancio, tirava fuori sacchetti e spazzatura varia. Fenoglio e Lopez controllavano e ammucchiavano di lato i rifiuti già esaminati. Dopo qualche minuto l'immondizia sul marciapiede formava un cumulo piuttosto consistente. Un vecchio con il bastone, la coppola e l'apparecchio acustico chiese con voce stridula e aggressiva chi si sarebbe preoccupato di rimettere tutto a posto.

– Facciamo noi appena abbiamo finito, signore. Non si preoccupi, – rispose Fenoglio, ma quello non parve soddisfatto e disse che se non avessero rimesso tutto a posto avrebbe chiamato i carabinieri.

Ripresero a cercare ed erano trascorsi forse altri cinque minuti di buste unte, scarpe sfondate, ossi di pollo, pannolini – e pannoloni – puzzolenti, quando Grandolfo, con il suo gancio, pescò un sacchetto di carta da pane. Vuoto ma con alcune macchie rosse che potevano essere di sangue.

– Forse questo è l'involucro che ha visto la vecchia, – disse tenendolo fra due dita.

– Ma che senso ha? Perché un sacchetto vuoto? – fece Lopez.

– Magari non era vuoto. Magari prima lo ha svuotato e poi lo ha buttato. Può essere che ci fosse il coltello, dobbiamo cercare ancora, – disse Fenoglio.

Toccò svuotarlo quasi tutto, il cassonetto, ma alla fine il coltello saltò fuori. Era un vecchio arnese da cucina con il manico in legno e la lama affilata di recente. Forse da uno di quegli arrotini ambulanti il cui passaggio per le strade era accompagnato da grida gutturali e incomprensibili.

Qualcuno aveva cercato di ripulirlo, quel coltello, ma guardando attentamente nel punto di congiunzione fra impugnatura e lama si vedevano tracce di sangue raggrumato. Il medico legale non avrebbe avuto difficoltà a recuperare quei residui.

Fenoglio infilò coltello e sacchetto di carta in due buste di plastica da reperti.

– Ributtiamo dentro la spazzatura e torniamo in caserma. Portiamoci la Cassano, bisogna verbalizzarla.

– Non possiamo chiamare quelli della nettezza urbana? – disse Grandolfo.

– No. Ché se poi il vecchio sordo si incazza ha ragione.

Quarto

Pellecchia lo stava aspettando, con il sigaro in bocca e dei fogli in mano.

– Allora?

– L'auto è intestata a un tale Fornelli Michele, abita in via Abate Gimma. Ha altre due macchine.

– Età?

– Classe '37.

– Cinquantadue anni. Non può essere quello che ha visto la signora. Denunce di furto per quell'auto?

– Negativo. Ho recuperato lo stato di famiglia del Fornelli. Ha due figli, un maschio e una femmina, Nicola e Angela. Il ragazzo è del '66, dunque, in teoria, potrebbe essere lui.

– Che fa questo tizio? Intendo il padre.

– Ha un negozio di abbigliamento in centro. Roba costosa, per gente coi soldi.

– E il figlio?

– Non risulta niente. Però ho i dati dei precedenti di polizia del Fraddosio.

– C'è qualcosa?

– Guarda tu stesso. Doveva essere un porco, pace all'anima sua.

Fraddosio era stato denunciato piú volte per atti osceni in luogo pubblico, per atti di libidine e per atti contrari

alla pubblica decenza. In tutti i casi era intervenuta la polizia. Per saperne di piú, per dare un'occhiata alle carte,
avrebbero dovuto fare una richiesta alla questura.
Chissà se quei precedenti avevano qualche rapporto
con quanto era appena accaduto. Possibile, forse probabile, ma bisognava capire chi era il ragazzo e se per caso
aveva avuto anche lui a che fare con faccende del genere.
– Va bene, prendi Montemurro e qualcun altro. An-
date al negozio del padre, cercate di capire chi aveva la
disponibilità dell'auto stamattina e trovate il ragazzo,
intendo Fornelli figlio. Vediamo se corrisponde alla descrizione della signora.

Fenoglio telefonò a casa per avvertire Serena, sua moglie, che c'era stato un omicidio, che stava lavorando e
che non sarebbe tornato a pranzo.
– Ti sembrerà incredibile ma lo avevo vagamente in-
tuito, visto che sono le due e mezzo passate.
– Non avevo guardato l'orologio. Comunque sai che
posso fare di peggio, – cercò di scherzare Fenoglio.
– Sono sicura che puoi. La valigia con le tue cose te la
lascio sul pianerottolo o preferisci che la spedisca al tuo
nuovo indirizzo? Sai, qui sto per cambiare la serratura.
– Molto divertente.
Ci fu una breve pausa.
– Va bene, dài. Se arrivi per cena *forse* ti faccio entrare
e *forse* ti faccio anche mangiare. Io comunque sono fuori
tutto il pomeriggio.
– Hai l'amante?
– Purtroppo no. Ricevimento dei genitori a scuola.
Però magari si presenta qualche papà carino e diamo un
senso alla giornata.
Dopo aver riattaccato, Fenoglio rimase per una deci-

na di secondi con la mano appoggiata sulla cornetta. Poi si scosse, prese le due buste con il sacchetto di carta e il coltello e si diresse al laboratorio.

Era di turno il maresciallo Cutrone. Un tipo basso, scuro di carnagione, con il viso butterato. Teneva sempre gli occhi semichiusi e sembrava avviluppato da un torpore invincibile. Era il migliore esperto di impronte digitali e di polizia scientifica che Fenoglio avesse mai conosciuto. Non era sposato e nel tempo libero faceva il prestigiatore.

In realtà anche nel lavoro faceva le magie. Oggi il sistema per confrontare le impronte digitali è tutto fatto di scansioni, computer e programmi di riconoscimento delle immagini. Allora era diverso. Le impronte erano comparate da investigatori capaci con un colpo d'occhio di cogliere i punti di identità e dire se una corrispondeva a un'altra; e se un *frammento* di impronta aveva sufficienti punti di contatto con quella del soggetto su cui si stava lavorando.

Cutrone era semplicemente il piú bravo di tutti.

– Ciao, Matteo, – disse Fenoglio entrando nella stanza.

Cutrone alzò la testa da un piccolo oggetto che stava esaminando con una lente di ingrandimento.

– Maresciallo Fenoglio. Mi stavo chiedendo quando saresti arrivato.

– Ho qualcosa per te.

– Lo so, le notizie di regola sono piú veloci dei reperti.

Fenoglio poggiò sulla scrivania le due buste di plastica trasparente: quella che conteneva il coltello e l'altra che conteneva il sacchetto di carta da pane.

– Cosa ti aspetti da me? – chiese Cutrone.

– Che mi tiri fuori due o tre belle impronte chiare e nitide, possibilmente di qualche pregiudicato. Meglio ancora se sono del ragazzo che sospettiamo.

Cutrone fece una risata breve e secca come il verso di un corvo.

– Non ti serve nient'altro? Giacché ci sono potrei anche lavarti i vetri dell'auto.

– Sarebbe gentile da parte tua.

Cutrone replicò con qualcosa di incomprensibile – e forse di irriferibile – in dialetto stretto di Altamura. Poi allungò la mano: – Dammi.

Prese i due sacchetti con il pollice e l'indice dell'una e dell'altra mano e ne osservò il contenuto attraverso la plastica.

– Quando vorresti il risultato?

– Mezz'ora fa.

– Ovvio. Ti lavo anche la macchina?

– Serve subito, Matteo.

– Perché? Dammi un ottimo motivo per saltare la cena.

Fenoglio gli fece un rapido riassunto dell'indagine. La vecchia, la sua ossessione paranoica, l'involucro che il ragazzo aveva con sé e che, a quanto pareva, era stato gettato nella spazzatura; e che, a quanto pareva, era stato recuperato da loro.

Cutrone sospirava, ascoltando.

– Avete avuto un bel culo con questa vecchia pazza.

Fenoglio annuí. Era una sintesi efficace e non richiedeva commenti o integrazioni.

– I miei stanno cercando il ragazzo. Se per caso sul coltello o sul sacchetto che ti ho portato ci sono le sue impronte, abbiamo fatto tombola, e fra deposizione della vecchia e impronte digitali l'indagine è finita. Piú o meno.

Cutrone poggiò sul tavolo le due buste che fino a quel momento aveva tenuto in mano e si alzò in piedi. Non c'era molta differenza di statura rispetto alla posizione da seduto. Fenoglio lo conosceva da tanti anni eppure ogni volta gli veniva quella considerazione, come fosse stata la prima volta.

– Va bene. Ti chiamo non appena ho fatto.

– Se non sono in ufficio lascia detto, per piacere. Potrei essere uscito, ma mi raggiungono via radio.

– Perché non ti compri uno di quei telefoni cellulari?

– Quando mi raddoppiano lo stipendio.

– Fra qualche anno non costeranno niente.

– Tu dici?

– Ci potevamo permettere un computer a casa, qualche anno fa?

Fenoglio si strinse nelle spalle.

– Forse hai ragione.

Cutrone si era già voltato e stava frugando in un armadio. Rispose con un grugnito, o forse proprio non rispose.

Pellecchia e gli altri non erano rientrati. In una sala d'attesa del nucleo c'era la signora Cassano. Era stata accompagnata in caserma per la verbalizzazione e cominciava a innervosirsi.

– Me ne voglio andare a casa. Perché devo stare qua?

– Ha ragione, signora, – le disse Fenoglio affacciandosi nella stanza.

– Sí, ragione le chiacchiere. Già quell'altro mi ha detto che tengo ragione e però sto qua e me ne voglio andare a casa. Se viene mia figlia e non mi trova si preoccupa.

– Adesso telefoniamo a sua figlia, cosí la avvertiamo. Poi scriviamo subito il verbale e dopo la faccio riaccompagnare a casa.

La donna sbuffò e parve sul punto di aggiungere qualcosa. Forse però non trovò le parole adatte per lamentarsi ancora e rimase in silenzio, limitandosi a sbuffare una seconda volta. Fenoglio chiamò Grandolfo e Lopez.

– Impostate il verbale con la signora. Cominciate a scrivere, io mi allontano una ventina di minuti.

I venti minuti servivano a mangiare. Fenoglio era da sempre disposto a perdere il sonno, ma saltare del tutto i pasti lo rendeva nervoso. E gli piaceva mangiare da solo, quando non riusciva a tornare a casa, a pranzo o a cena. Serviva a placare i rigurgiti di insofferenza per l'ufficio, per i colleghi, soprattutto per i superiori.

– Buongiorno, maresciallo, – disse il proprietario del bar *La tazza fumante*.

– Ciao, Andrea.

– Oggi si lavora, eh? Ho sentito la radio.

– Cos'hai sentito alla radio?

– Dice che hanno ammazzato uno a casa sua, che gli hanno tagliato la gola.

– Nient'altro?

– No. Cioè, sí. Dicono che la gente è preoccupata, che adesso ti ammazzano pure dentro casa.

Fenoglio produsse un verso che poteva significare di tutto ma che, in sostanza, chiudeva la conversazione sull'argomento. Le chiacchiere dei giornalisti sull'insicurezza in aumento lo mettevano di cattivo umore.

– Volete il caffè?

– Sono digiuno da stamattina. Cosa c'è da mangiare?

– È rimasto poco, vi faccio un panino al prosciutto?

– E fammi un panino al prosciutto. Mettici anche un po' di mozzarella. Se non è dell'anno scorso.

– Non dite cosí, maresciallo. È freschissima, arriva ogni giorno da Gioia del Colle.

Fenoglio si sedette a un tavolino. Il bar era deserto. Avrebbe voluto distrarsi, ma era impossibile. Pensando ai precedenti di Fraddosio si ricordò di un caso capitatogli qualche anno prima. Un vecchio pervertito, il suo giovane amico, una lite finita male. Il ragazzo si era preso ventidue anni. Chissà in che carcere era. Magari, però, i precedenti del morto non c'entravano niente con le ragioni della sua morte. Quando avesse visto in faccia il tizio della macchina – come si chiamava? non riusciva a ricordarlo – forse si sarebbe chiarito le idee.

– Ecco il panino, maresciallo. C'è anche la solita birra.

Mangiò il panino a morsi tranquilli, alternando a ogni due bocconi una sorsata di birra. Sua moglie non avrebbe apprezzato vederlo bere birra a quell'ora del pomeriggio, ma non era un'informazione che fosse indispensabile fornirle.

Stava ordinando il caffè quando nel bar entrò Montemurro. Quel ragazzo gli piaceva. L'aveva visto arrestare in flagranza un estortore mentre faceva la sua telefonata da una cabina telefonica che stavano intercettando. Un arresto chirurgico, deciso ma pulito, senza violenza inutile. Fenoglio la odiava, la violenza. Ne aveva vista tanta, l'aveva anche usata qualche volta, quando era inevitabile, ma la trovava ripugnante. Divideva i colleghi in due categorie: quelli che si servivano della violenza solo se era necessario e quelli – li detestava – che picchiavano per il gusto di farlo.

– Abbiamo trovato Fornelli. È in ufficio, – disse Montemurro.

Quinto

Il ragazzo era seduto davanti alla scrivania. Pellecchia gli stava di lato, molto vicino, e gli teneva un braccio sulla spalla. Non era un gesto amichevole.

– Allora ci hai detto che quella macchina la usate tu, tuo padre e nessun altro. È vero?

L'altro fece debolmente di sí con la testa. Fenoglio lo osservò. Non c'erano dettagli contrastanti rispetto alla descrizione sommaria della vecchia. Un po' piú alto della media, carnagione olivastra, un bel ragazzo. Aveva il tipico sguardo da animale impaurito di chi non è abituato a caserme, sbirri, giudici e chiavistelli.

– Cioè, la usiamo in famiglia.

– Tu, tuo padre e chi altro?

– Mia madre, qualche volta.

– Stamattina cos'hai fatto?

– Sono andato al lavoro.

– Quale lavoro? – chiese Pellecchia, avvicinandosi, se possibile, ancora di piú. Di sicuro, pensò Fenoglio, il ragazzo poteva sentire l'alito di sigaro e non doveva essere piacevole.

– Lavoro nel negozio di mio padre.

– A che ora ci sei andato?

– Abbiamo aperto verso le nove, come tutte le mattine.

– E sei rimasto sempre là?

Quello esitò, chiedendosi cosa dire, quale fosse la scel-

ta migliore, cosa sapessero quegli uomini che lo stavano
interrogando. Perché lo stavano interrogando. Fenoglio
si avvicinò, abbastanza da avvertire l'odore del ragazzo. Un odore che conosceva bene, l'odore della paura.
Erano in pochi a riuscire a percepirlo, o forse, meglio,
erano in pochi a riuscire a percepirlo in modo consapevo-
le. A sapere di che si trattava, a sapere cosa significava.

– Sono uscito una mezz'ora.

– Dove sei andato?

– Sono andato a salutare la mia ragazza.

– Dove abita?

– A Poggiofranco, in viale Kennedy.

– Fraddosio Sabino. Ti dice qualcosa questo nome?

Fenoglio continuava a osservare, senza intervenire nella sequenza di domande.

– No.

Il manrovescio di Pellecchia arrivò quasi contempora-
neamente alla fine della frase. Secco, preciso, non troppo
violento. Sul viso del ragazzo si disegnò un'espressione
desolata, con una nota infantile e disperata.

– Com'è? Lo hai ammazzato e non sai chi è?

Fenoglio fece un passo verso Pellecchia e gli strinse la
spalla per un secondo. Non doveva rifarlo.

– Come mai hai lasciato il lavoro per andare a trovare
la tua ragazza? – chiese Fenoglio prendendo una sedia e
mettendosi davanti a Fornelli.

– Che... vuol dire?

– A metà mattinata hai lasciato il lavoro, hai preso la
macchina, sei andato dalla tua ragazza, l'hai salutata e sei
ritornato. È così?

Il ragazzo annuí.

– C'era un motivo, una ragione precisa per cui sei andato a trovarla?

– No, cioè, non c'era un motivo particolare…
– Le hai telefonato per dirle che andavi a trovarla?
– No, cioè, sí…
Fenoglio mise la mano sulla spalla del ragazzo. Quello spostò il capo, come temendo che stesse per arrivare un altro schiaffo.
– Come si chiama la tua ragazza?
– Maria.
– Maria e poi?
– Maria Colella.
– Cosa fa? Lavora, studia?
– Studia, va all'università. Però lavora, anche.
– Cosa studia, Nicola?
– Giurisprudenza. Anch'io ero iscritto all'università.
– Adesso non piú?
– Ho fatto pochi esami, mi sono bloccato e allora ho deciso di mettermi a lavorare con mio padre. Però forse mi iscrivo di nuovo.
– Hai detto che la tua ragazza lavora, oltre a studiare. Cosa fa?
– Fa la modella, e l'indossatrice.
Fenoglio sospirò. Il ragazzo gli faceva pena. Capitava, anche per i sospettati di reati gravi. Stavolta però la sensazione era piú forte. Da un lato era chiaro che non stava dicendo la verità e che probabilmente avevano trovato la persona giusta. Dall'altro c'era qualcosa che non lo convinceva. Qualcosa fuori posto. In forma diversa, la stessa sensazione sfuggente che aveva provato la mattina entrando in casa di Fraddosio.
– Hai detto che la tua ragazza abita a Poggiofranco. Lo sai che ti hanno visto da un'altra parte della città, stamattina?
– Che parte? – chiese il ragazzo, facendo fatica a

tirare fuori le parole, come se avesse la bocca impa-
stata e secca.

– Ce lo devi dire tu, da che parte.

– Posso avere un bicchiere d'acqua? – disse il ragazzo.

– Vai a prenderglielo, – disse Fenoglio a Montemurro,
precedendo Pellecchia e intuendone la disapprovazione.
Fosse stato per lui, gli avrebbe detto: *aspetta, prima rac-
contami bene dove sei stato questa mattina, poi ti faccio
bere. Un bel bicchiere d'acqua fresca, ne hai voglia, eh?*
O una frase simile. Non era cattivo, solo vecchio stile.
Uno stile che a Fenoglio non era mai piaciuto.

Il ragazzo bevve deglutendo in modo rumoroso, come se ogni sorso gli costasse fatica. Un altro sintomo
di paura.

– Sicuro che sei andato a trovare la tua ragazza?

Il ragazzo fece di sí con la testa, tenendo gli occhi bassi.

– Allora adesso la facciamo venire qui e glielo chiediamo. Se è vero che sei andato da lei, ce lo dirà, no?

– Ma perché la dovete mettere in mezzo? – disse
quello, accennando un gesto con le mani, come per ri-
unirle, giungerle.

– Ascoltami bene, Nicola. Sei in un guaio, un guaio grosso. Nessuno può aiutarti a uscirne se prima non
ti aiuti da solo. Devi dirci la verità. Se ci spieghi cosa
è successo forse riusciamo a capire. Forse le cose non
sono proprio come sembrano, non lo so. Io non c'ero
in quella casa.

Il ragazzo non disse nulla. Faceva no con la testa e
non era chiaro se stava rispondendo alla domanda di
Fenoglio o diceva *no* a quello che gli stava accadendo.

Nella saletta delle ricognizioni c'era uno specchio. Dall'altra parte c'era una stanza, in penombra, e lo specchio era una specie di finestra, con un vetro normale, dalla quale si poteva vedere senza essere visti. In questa stanza fecero entrare la signora Cassano.

– Che devo fare qua? – chiese la donna.

– Adesso le facciamo vedere tre ragazzi, signora. Lei li guardi con attenzione e ci dica se fra di loro c'è quello di stamattina. Quello che usciva dalla sua palazzina con il pacchetto di carta in mano, – disse Fenoglio.

La Cassano si guardò attorno. Non sembrava contenta. Forse cominciava a pentirsi del suo zelo di quella mattina. Forse, d'ora in avanti, avrebbe evitato di prendere numeri di targa, e in generale si sarebbe fatta i fatti suoi. Una buona cura per la paranoia.

– E se poi quel delinquente mi vede?

– Non si preoccupi, signora, non possono vederla dall'altra parte.

– Che significa che non mi possono vedere?

Dovettero portarla nell'altra stanza e spiegarle il funzionamento dello specchio. Quando capí si tranquillizzò un poco.

– Ci vorranno cinque minuti, – le disse Fenoglio. – Poi la riaccompagniamo a casa. Lei deve solo guardare bene e cercare di ricordare la faccia di stamattina.

Di là dal vetro sfilarono tre ragazzi. Due giovani carabinieri e il Fornelli. Non si assomigliavano, ma erano piú o meno della stessa corporatura.

– Ma è sicuro che non mi vedono? – domandò ancora la vecchia, a bassa voce.

– Non ci vedono e nemmeno ci sentono.

Lei allora si avvicinò al vetro, con cautela.

– Quello a destra, – disse con sicurezza, dopo una decina di secondi.

Era Fornelli. Nell'aria della saletta si diffuse una specie di corrente elettrica. La sensazione che, per bravura
o per fortuna (in seguito si tende a ricordare solo la bravura, ma questa è un'altra storia), un caso importante sta
per essere risolto.

Sesto

Fenoglio si sedette alla macchina da scrivere per preparare il verbale di fermo. Era un lavoro che preferiva fare personalmente, per evitare errori grossolani, di diritto o di grammatica. Nel nucleo c'erano ragazzi bravissimi se si trattava di intervenire durante una rapina, se bisognava catturare un latitante o convincere un confidente a raccontare qualcosa di importante. Non tutti erano altrettanto bravi con la penna o con la macchina da scrivere. A Fenoglio seccava mandare in giro atti con svarioni di italiano, o anche solo con quelle espressioni assurde che popolano il mondo irreale della scrittura burocratica e di caserma. Gli seccava che in quel modo certi stereotipi sui carabinieri venissero confermati e magari rinforzati.

Aveva scritto l'intestazione quando arrivò la telefonata dal laboratorio.

– Oggi è proprio il tuo giorno di culo, – disse Cutrone senza preamboli.

– Hai trovato impronte sul coltello?

– Sul coltello no, è stato ripulito, non c'è niente. Cioè, ci sono residui di sangue, ma non impronte. Sul sacchetto di carta però ci sono diversi frammenti, e un paio sembrano abbastanza buoni.

– Utili per la comparazione?

– Abbastanza buoni.

– Allora adesso prendiamo le impronte al ragazzo e te le porto?

– Meglio che venga a prenderle io.

Qualche minuto dopo, Cutrone era davanti a Fornelli con un tampone di inchiostro, della carta assorbente e un modulo fotosegnaletico in bianco. Nella parte superiore del foglio c'erano i riquadri per le fotografie, e sotto dieci rettangoli piú piccoli per le impronte.

Il ragazzo sembrava sempre piú un uccello spaurito. Fece quello che gli dissero: premere una alla volta le dita sul tampone di inchiostro, poggiarle in modo da produrre una stampa panoramica del polpastrello. Non ci volle molto a terminare l'operazione. Quando tutte le impronte del ragazzo furono sul cartellino, Cutrone andò via di nuovo.

– Ci sentiamo fra un po', quando ho finito, – disse uscendo dalla stanza.

Lasciarono il ragazzo da solo, o meglio, da solo con un carabiniere in divisa a sorvegliarlo. Al punto in cui erano, provare ancora a farlo parlare era del tutto superfluo. Già con le dichiarazioni della Cassano e il successivo riconoscimento c'era abbastanza per procedere al fermo. Se fosse saltato fuori qualcosa dai rilievi dattiloscopici, il caso sarebbe stato virtualmente chiuso.

Mentre Cutrone procedeva con le sue comparazioni, arrivarono in caserma i genitori e la ragazza di Fornelli. Quella che in teoria avrebbe dovuto fornirgli l'alibi. Lopez andò a riferirlo a Fenoglio.

– Che dicono? – domandò il maresciallo alzando lo sguardo.

– Vogliono vederlo. Chiedono perché lo abbiamo portato in caserma. Il padre vuol sapere se deve chiamare un avvocato.

Fenoglio si passò la mano sul viso. Aveva un significato quella richiesta? L'uomo aveva un'idea di cosa fosse successo? O magari sapeva proprio che il figlio si era ficcato in qualche giro balordo?

– C'è anche la fidanzata?

– Sí.

Il giovane, all'inizio, aveva detto di essersi visto con lei quella mattina. Una stupidaggine, era chiaro. Praticamente lo aveva ammesso subito lui stesso, di non metterla in mezzo. Bisognava sentirla? Era necessario o anche solo opportuno? Le possibilità erano due: che dicesse, in un modo o nell'altro, di aver incontrato il ragazzo, cercando di fornirgli un alibi, e dunque commettendo il reato di favoreggiamento; oppure che negasse di averlo incontrato, confermando cosí quello che era già evidente. Certo che in questo secondo caso ci sarebbe stato un ulteriore elemento a carico del Fornelli – l'alibi smentito è indizio a carico – ma l'idea di incastrare un indagato utilizzando le dichiarazioni di una persona cara era sempre parsa odiosa a Fenoglio. Quando poteva, lo evitava.

Decise di non sentirla. Se fosse stato necessario, lo avrebbe fatto nei giorni successivi.

– Digli che stiamo procedendo ad alcuni accertamenti. Se vogliono, possono aspettare. Non appena possibile gli facciamo sapere qualcosa.

Lopez uscí e qualche secondo dopo Cutrone richiamò.

– Due sono buone.

– Vuoi dire che sono del ragazzo?

– Ci sono tredici e quindici punti di corrispondenza. Con sedici, diciassette punti dovrebbe esserci la certezza assoluta, secondo la cassazione. È molto probabile che le impronte siano del ragazzo. Insieme ad altri indizi, diventa praticamente certo. Se hai una teste che lo ha

visto maneggiare quel pacchetto e tutto il resto che mi
hai detto, credo che non ci sia molto altro.

Fenoglio rimase in silenzio. Era l'indagine dei so-
gni. Tutto perfetto, tutto che si incastrava come in un
rompicapo risolto. E allora perché quel disagio. Perché
quella sensazione indistinta? Come una parola che hai
sulla punta della lingua. Come un odore lieve, sospeso
nell'aria, a cui non sei capace di dare un nome.

– Sei ancora lí? – disse Cutrone.

– Sono qui, certo. Mi fai una relazione? Intendo dire: me la fai adesso?

Cutrone sospirò.

– La faccio e poi finalmente me ne vado a casa.

Fenoglio entrò nella stanza dove avevano lasciato
Fornelli. Disse al carabiniere in divisa di uscire e si sedette su una sedia di fronte al ragazzo, non troppo vicino. Non voleva fare alcun gesto aggressivo, nemmeno
quello blando di accorciare la distanza.

– Sul sacchetto ci sono le tue impronte digitali.

Il ragazzo lo guardò con espressione disperata, ma
non disse niente.

– Se mi aiuti a capire, forse posso aiutarti.

Stessa espressione. Stesso silenzio.

– Adesso ti fermiamo e ti portiamo in carcere, lo
sai questo? Si mette in moto una macchina complica-
ta. Cosa è successo stamattina? Da quando lo conoscevi Fraddosio?

– Non lo conosco, – disse con un filo di voce.

Fenoglio si raddrizzò, prendendo un respiro profondo, avvertendo d'un tratto tutta la stanchezza di quella
lunga giornata. Era chiaro che stare lí a parlare con il
ragazzo non aveva piú senso. O comunque non aveva

alcuna utilità. A meno di dieci ore dall'omicidio, avevano raccolto un quantitativo di indizi che già bastavano per motivare una sentenza di condanna. Certo, mancava ancora il movente, ma sarebbe venuto fuori, in un modo o nell'altro. Decise di fare un ultimo tentativo, poi avrebbe scritto il verbale di fermo e se ne sarebbe andato a casa.

– Nicola, qui sotto ci sono i tuoi genitori e la tua ragazza. Devo andare a dirgli che hai ammazzato un uomo a coltellate e che ti rifiuti di rispondere alle domande? Non è meglio che ci dài la tua versione?

Il ragazzo scosse il capo, tenendo gli occhi bassi. Poi li alzò e parve sul punto di dire qualcosa. Gli tremò il labbro inferiore, come se stesse per piangere. Infine serrò le mascelle, raccogliendo le forze per non perdere il controllo.

– Vuoi parlare con un avvocato? Hai un avvocato di fiducia che vuoi nominare? Magari ti consiglia cosa fare, magari lo ascolti piú di quanto ascolti me.

– Non conosco nessun avvocato. Mio padre forse...

Si interruppe, come rendendosi conto solo in quel momento – nonostante quello che aveva appena detto Fenoglio – che suo padre, ma anche sua madre, i suoi parenti, la sua ragazza, tutto il mondo fuori avrebbe saputo cosa gli era successo. Emise un suono bizzarro, quasi un singhiozzo o il rumore di un piccolo meccanismo in cui qualcosa si è rotto.

– Come devo fare.

Non era una domanda. Era un lamento disperato e conclusivo. Poi non disse piú niente.

Settimo

Ci volle qualche ora perché gli atti del fascicolo – verbali di sommarie informazioni, di individuazione personale, di perquisizione, di sequestro, di fermo – e il biglietto di carcerazione per la casa circondariale fossero pronti.

Caricarono in macchina il ragazzo per portarlo in carcere che era ormai tarda sera, quasi notte. Subito prima, nel cortile della caserma, gli avevano permesso di salutare i genitori e la ragazza. I primi erano rimasti attoniti, come se non riuscissero a capire – a *concepire* – tutto quello che stava succedendo.

La ragazza, invece, era scoppiata in un pianto disperato. Trasgredendo la decisione presa qualche ora prima, Fenoglio decise di parlarle, di provare a chiederle qualcosa, cosí, informalmente.

– Nicola, all'inizio, ci aveva detto di essere venuto a trovarla, stamattina, – le disse prendendola in disparte.

Era una bellezza: zigomi alti, capelli scuri e grandi occhi azzurri. In altre condizioni doveva avere uno sguardo impertinente, pensò Fenoglio, stupendosi per avere usato, pur solo nel pensiero, quella parola inusuale.

Lei non rispose. Lo guardava come se avesse parlato in un'altra lingua, sconosciuta e incomprensibile. Come se aspettasse una traduzione.

– Si chiama Maria, vero?

Lei annuí, tirando su col naso. Chissà perché, in quel momento Fenoglio si accorse che l'aria si era molto raffreddata e che l'inverno sembrava davvero in arrivo.

– Vi siete visti, stamattina, con Nicola?

– Nicola è innocente. Non ha ammazzato nessuno.

Nicola è innocente.

Parevano le solite parole di genitori, parenti, amici, fidanzati e fidanzate, e però non erano le solite.

Fenoglio non aveva mai pensato di poter capire con certezza se uno diceva la verità o mentiva. Una dote del genere non esiste e lui trovava patetici quelli che sostenevano di possederla. Investigatori scadenti, i piú facili da ingannare.

Però.

Però, senza dubbio, nel tono della ragazza c'era qualcosa di piú della disperazione per il fermo del suo fidanzato. Qualcosa di diverso e non decifrabile.

– Come fa a essere sicura che sia innocente?

– Controllate chi era quello che è stato ammazzato, – rispose lei con voce rotta, cercando di non scoppiare di nuovo a piangere.

– Che vuole dire? – chiese Fenoglio mentre la macchina con a bordo Nicola imboccava il lungomare seguita da un'altra, entrambe con i lampeggianti inutilmente accesi.

La ragazza scosse il capo, con un moto di rassegnazione disperata. Come se si fosse resa conto dell'inutilità di tutto, in quella situazione. Gli voltò le spalle, tornando dai genitori di Nicola. Fenoglio stava per seguirla, poi rinunciò.

Era quasi notte, ci avrebbe pensato l'indomani.

Ottavo

Per fortuna nessuno gli chiese di preparare l'appunto per la conferenza stampa. Come al solito era stata convocata per le undici: l'orario perfetto per consentire ai notiziari dell'ora di pranzo di dare con il dovuto risalto la notizia.

Alcuni suoi colleghi, alcuni ufficiali, alcuni magistrati vivevano per le conferenze stampa, per le notizie sui giornali, per le fugaci apparizioni televisive.

Alcuni rasentavano la psicopatologia. Per esempio, c'era un pubblico ministero che informava sistematicamente delle sue iniziative le televisioni e i giornali. Quando poi i cronisti comparivano in procura mentre era in corso l'audizione di testimoni o l'interrogatorio di indagati eccellenti, lo stesso magistrato fingeva stupore e indignazione per la deprecabile fuga di notizie. Una sceneggiata che si era ripetuta diverse volte. E l'interpretazione era cosí convinta e credibile che se Fenoglio non avesse saputo con sicurezza – erano gli stessi giornalisti a dirglielo – come stavano le cose, sarebbe stato certo della buona fede di quel pubblico ministero.

– Non vieni alla conferenza stampa, Pietro? – gli chiese un collega in divisa, incrociandolo nei corridoi del nucleo.

– Sicuro. Non fate partire le riprese se non sono arrivato, mi raccomando.

Uscí dalla caserma e andò a prendersi un caffè. La

ragazza aveva suggerito di indagare sulla vittima. Ed era ciò che lui aveva intenzione di fare quella mattina.

– Montemurro, prendi le chiavi della Ritmo.
– Dove andiamo, maresciallo?
– Vuoi saperlo per decidere se ti va di venire?

Il carabiniere si strinse nelle spalle e alzò le mani esibendo i palmi, in un gesto di resa. Dieci minuti dopo erano in macchina e uscivano dal cortile della caserma. Il cielo era coperto di nuvole fitte e grigie. Abbassando il finestrino si poteva sentire l'odore dell'elettricità.

– Tu sei iscritto all'università, vero? – chiese Fenoglio dopo aver dato indicazioni sulla strada.

– All'ultimo anno di Informatica, ma mi mancano un sacco di esami.

– Cosa vuoi fare con questa laurea, quando la prendi?

– *Se* la prendo. Non lo so. Mi piacerebbe viaggiare, andare all'estero, ma dovrei congedarmi.

– Ci sono possibilità di lavorare all'estero anche rimanendo nell'Arma. Le ambasciate, per esempio.

– Non credo che quel lavoro mi piacerebbe. Non lo so.

– Tu non sei sposato?

Montemurro sorrise, come se il maresciallo avesse detto una buona battuta.

– No, no. Comunque mi piace questo lavoro, anche se…

– Anche se?

Il ragazzo esitò, si fermò a un semaforo che era diventato giallo, respirò a fondo. Decise che poteva fidarsi del maresciallo.

– Non mi piace molto la gerarchia. Lo so che è una cosa strana da dire. Se non ti piacevano le gerarchie era meglio non entrare nei carabinieri.

– Come è successo?

– Ero indietro con gli esami, è venuto fuori questo concorso, l'ho fatto tanto per farlo e mi ci sono trovato. Da un po' ho ripreso a studiare, come posso. Però, ripeto, il lavoro nostro... Voglio dire: la polizia giudiziaria, mi piace.

– Anch'io andavo all'università.

– Ah, sí? Cosa studiava?

– Lettere.

– Lettere. Come mai?

– Mi piaceva.

– E poi?

– Mio padre era anche lui un carabiniere, un appuntato. Mi iscrisse al concorso per sottufficiali, a mia insaputa. Me lo disse solo un mese prima delle selezioni. Anche meno di un mese. Io mi arrabbiai moltissimo e gli dissi che non ci sarei mai andato, per nessuna ragione.

– Come fece a convincerla?

– Mi chiese di andare a fare due passi con lui. Abitavamo a Torino, che allora non era un posto allegro, ma quel giorno era primavera, e quando ci sono certe giornate tutto quanto è diverso. Dopo aver camminato senza dire niente per una decina di minuti, andammo a sederci in un caffè con i tavolini all'aperto. Mi ricordo anche cosa ordinammo: due cappuccini. Lui tirò fuori le sigarette; fumava le Nazionali esportazione, quelle con il pacchetto verde, morbido. Probabilmente non le hai mai viste.

– No, no. Ho capito, sono quelle con la caravella.

– Sí, quelle. Me ne offrí una. Fino a quel momento il fatto che io fumassi era una cosa non dichiarata. Non glielo avrei mai detto, anche se pensavo che lo sapesse. Avevo vent'anni.

– Non l'ho mai vista fumare.

– Ho smesso parecchi anni fa. In ogni caso, accendemmo le sigarette e dopo aver fumato un poco in silenzio mi disse che per prima cosa si scusava: i padri agiscono pensando di fare il bene dei figli, e quasi sempre sbagliano. Ero sbalordito. Mio padre parlava poco e probabilmente quella era la conversazione piú lunga che avessi avuto con lui in tutta la mia vita. Che poi ammettesse di avere sbagliato era ancora piú sconvolgente. Dopo quella premessa aggiunse che secondo lui sarebbe stato un errore non provare la selezione. Facevo sempre in tempo a decidere di non andare avanti, ammesso che mi prendessero. E facevo sempre in tempo a laurearmi, se per caso mi avessero preso e avessi deciso di accettare.

– Cosí la convinse.

– No. Cioè, gli dissi che non sapevo cosa avrei fatto nella vita ma che ero certo di non voler diventare un carabiniere.

– E allora?

– Tre settimane dopo ebbe un infarto, in ufficio. Quando arrivò l'ambulanza era già morto. Mi presentai alle selezioni e di lí a qualche mese ero alla scuola di Firenze a cominciare il corso per vicebrigadiere.

Montemurro buttò fuori l'aria, come se avesse tenuto il fiato sospeso per parecchi secondi. Probabilmente era proprio quello che aveva fatto. Ne venne fuori una via di mezzo tra un fischio e un sospiro.

– L'università non l'ha piú ripresa, vero?

Fenoglio accennò un sorriso vago.

– No. Ci ho pensato tante volte. Magari quando vado in pensione.

Montemurro parve sul punto di replicare qualcosa, poi scosse la testa, come se avesse in corso un animato dialogo interiore e non sapesse a quale voce dar retta. Guidò ancora per qualche minuto prima di rompere di nuovo il silenzio.

– Secondo lei quali sono le doti piú importanti che fanno un bravo investigatore?

– Prima di tutto questa.

– Quale?

– Non aver paura di fare domande. Anche apparentemente ingenue. Agli altri ma anche a sé stessi. Non bisogna dare niente per scontato.

– E poi?

– Bisogna allenarsi a osservare. Intendo dire, non solo con gli occhi. Bisogna tenere i sensi in funzione. Tutti. Guardare, ascoltare, toccare, anche annusare. Prendere nota. E se sei una recluta, bisogna capire quando parlare e quando stare zitti.

– Perché?

– Perché qualunque cosa tu dica è comunque molto probabile che non venga presa sul serio. O dici semplicemente una cazzata, il che, essendo una recluta, è facile, e allora hanno ragione a non prenderti sul serio. Oppure hai davvero una buona intuizione, ma questo, a meno che tu non abbia un capo intelligente, il che capita ma non spesso, di solito dà fastidio. Dunque non verrai preso sul serio, salvo ritrovarti il capo che, qualche giorno dopo, propone la *tua* idea come se fosse sua. E il bello, o il brutto, è che perlopiú non è nemmeno in malafede.

– Einstein diceva che il segreto della creatività è nel saper tenere nascoste le proprie fonti.

Fenoglio elaborò quella frase per qualche istante.

– Giusto. Mi piace. È anche il segreto del successo nelle carriere degli investigatori, in un certo senso. Comunque, alla fine, direi che le qualità fondamentali degli

investigatori migliori sono l'ostinazione e la pazienza.
Magari c'è gente piú intelligente di te, ma se un proble-
ma non lo molli, di regola riesci a risolverlo. Sherlock
Holmes dice piú o meno la stessa cosa.

– Sherlock Holmes?

– È in *Uno studio in rosso*: «Si dice che il genio sia
infinita pazienza. Come definizione è pessima, ma calza
a pennello al lavoro dell'investigatore». Faccio collezio-
ne di aforismi di Conan Doyle, – aggiunse dopo qualche
secondo, quasi scusandosi.

Cominciarono a cadere grandi gocce, pesanti e pigre
quasi fosse una pioggia d'estate. Come gli capitava, Fenoglio si distrasse, rapito dall'effetto ottico dell'acqua
che piombava ritmica sul parabrezza. Era uno di quegli
spettacoli naturali – come il volo degli stormi di uccel-
li in certi pomeriggi di primavera, o il mutare di forma
delle nuvole in certe mattine ventose di settembre – da
cui si lasciava ipnotizzare.

Montemurro dovette ripetere tre volte che erano
arrivati. Il maresciallo si scosse, si strizzò gli occhi e riprese contatto con il mondo esterno.

– Accosta vicino a quel bar e aspettami in macchina.
Devo andare a fare due chiacchiere con una persona.

Accanto al bar c'era una sala da biliardo sorveglia-
ta da un tizio con i capelli lunghi e ossigenati, legati in
un codino.

– Buongiorno, maresciallo, – disse quando vide Fenoglio.

– Ciao. C'è Vito?

– Sta dietro, ve lo chiamo?

– Non c'è bisogno, vado io.

Attraversò la sala semideserta. C'erano soltanto un
tizio coi baffi che si accaniva con la manopola di un vi-

deogioco e due ragazzi che armeggiavano attorno a un biliardo. Quando il maresciallo passò di fianco al tavolo, uno dei due alzò lo sguardo, ebbe un lieve sussulto e sussurrò qualcosa all'orecchio dell'altro.

In fondo alla sala c'era una piccola porta con i bordi rinforzati in metallo e uno spioncino. Fenoglio bussò un paio di volte con il palmo della mano. Passò forse un minuto, qualcuno guardò dallo spioncino, poi la porta si aprí lentamente, rivelando il viso di un uomo – un albino – dall'età indefinibile.

– Buongiorno, maresciallo, – disse con una voce arrochita dalle sigarette e segnata da una fortissima *erre* moscia. Sembrava quella di un personaggio da cartone animato. *Lui*, sembrava un personaggio da cartone animato.

– Ciao, Vito. Mi fai entrare?

– Accomodatevi, – disse l'albino scostandosi quanto bastava per far passare il maresciallo. Fece strada per un corridoio sudicio, impregnato di puzza di fumo. Attraverso una porta socchiusa Fenoglio intravide quattro tizi seduti attorno a un tavolo verde, con *fiches* e carte. Arrivarono in una stanzetta adibita a ufficio, alla fine del corridoio. Prendeva luce e aria da una specie di feritoia con una finestrella semiaperta. Sulla scrivania c'erano una cartella sdrucita in finta pelle, un telefono, un barattolo con alcune penne e matite, un posacenere di plastica. Il pavimento era coperto da una inquietante moquette verde. L'odore di fumo freddo era ancora piú intenso che nel corridoio. Fenoglio e l'albino si sedettero l'uno di fronte all'altro.

– Che vi serve, maresciallo?

– Hai sentito di quello che è stato ammazzato ieri?

– Ho sentito.

– Lo conoscevi?

L'albino scosse la testa.

– Mai nemmeno sentito nominare?

– Prima che lo ammazzavano, mai.

– E ieri ne hai saputo qualcosa?

– Qualcuno ha detto che *dava i soldi*.

– Faceva l'usuraio?

L'albino annuí. – Cosí ho sentito.

– Cos'altro hai sentito?

– Solo questo.

– Ho bisogno di saperne di piú.

– Posso provare. Che cosa vi interessa esattamente?

– Tutto quello che trovi. Dove prendeva i soldi, se aveva soci, con chi se la faceva... Il tizio aveva precedenti per atti di libidine: prova a chiedere anche su questo.

– Va bene.

– Ah, e se qualcuno ha mai sentito nominare il ragazzo che abbiamo fermato per l'omicidio.

– Come si chiama?

Fenoglio disse il nome.

– Mai sentito.

– Quando ci vediamo?

– Stasera, verso le sette. Però non garantisco. Può essere pure che non trovo niente.

Nono

Nel percorso di ritorno Fenoglio rimase in silenzio.

Se Fraddosio faceva davvero l'usuraio, a casa sua – o in qualche altro posto di cui poteva disporre – avrebbero dovuto esserci cambiali, assegni, appunti, quaderni. Carte, insomma. Il giorno prima avevano dato un'occhiata sommaria all'appartamento, ma non sapevano cosa cercare e dunque non avevano trovato nulla. Bisognava tornare lí, quella era la prima cosa. La seconda era capire come mai la ragazza di Fornelli sapeva che Fraddosio faceva l'usuraio. Anche se in realtà non era esattamente quello che gli aveva detto. *Controllate chi era quello che è stato ammazzato*, quelle erano state le sue parole. Avrebbe potuto riferirsi alla faccenda dell'usura, ma non si poteva escludere che parlasse di altro. Forse il Fraddosio non era *solo* un usuraio. Bisognava parlare con Maria – era inevitabile, si disse –, ma soltanto dopo aver capito meglio chi era la vittima, per non fare domande a casaccio.

Ci sono indagini che vengono rovinate in modo irrimediabile, dalle domande a casaccio.

Tornati in caserma incontrarono i giornalisti e i teleoperatori che uscivano dalla conferenza stampa. Un paio di cronisti riconobbero Fenoglio.

– Maresciallo, lei si sta occupando di questa indagine?

– Quale indagine? – rispose Fenoglio, assumendo
l'espressione di uno che passa di lí per caso.

– Si è fatto un'idea del perché il ragazzo abbia sgoz-
zato Fraddosio?

– Non venite dalla conferenza stampa? Perché le fate a me queste domande?

La schermaglia continuò cosí per qualche minuto.
Poi quelli se ne andarono e Fenoglio si diresse verso gli
uffici del nucleo, dove recuperò la chiave dell'appartamento di Fraddosio.

– Andiamo a dare un'occhiata, – disse a Montemurro, e poco dopo erano di nuovo in macchina.

– C'è qualcosa che non la convince, – disse il carabiniere.

Certo che qualcosa non lo convinceva. Qualcosa che
gli sfuggiva. Ne aveva avuto la percezione netta nel momento in cui era entrato in quella cucina, con il cadavere in un lago di sangue.

E poi quella frase della ragazza. Si ricordò di aver
letto che la credibilità di un teste è influenzata dal suo
aspetto fisico, e che una persona attraente, imputata in
un processo, ha piú possibilità di essere assolta o di ri-
cevere una pena mite, rispetto a una persona normale
o addirittura brutta. Lo aveva messo a disagio pensare che il ragionamento razionale dell'investigazione o
quello del giudice potessero essere inquinati da fattori
del genere. Maria gli aveva dato l'impressione di essere
sincera solo perché era cosí bella?

– C'è qualcosa che non mi convince, sí. Però non
so cosa.

Parcheggiarono l'auto vicino al cassonetto, piú o meno
dove l'aveva lasciata, a quanto pareva, Nicola Fornelli.
Non incontrarono nessuno salendo le scale. La palazzina

era silenziosa, quasi spettrale, e Fenoglio ebbe l'assurdo pensiero che se ne fossero andati via tutti, perché non volevano continuare ad abitare in un posto dove c'era stato un delitto cosí orribile. Gli capitava di avere questo tipo di pensieri. Come delle impennate improvvise dell'immaginazione. Perlopiú non portavano a niente – se Fenoglio fosse stato uno scrittore avrebbe saputo che portavano a romanzi e racconti – ma a volte diventavano intuizioni a cui il maresciallo aveva imparato a dare ascolto. In quel caso, però, non sembrava esserci alcun suggerimento in quello scarto improvviso della fantasia.

Quando entrarono, Fenoglio cercò di rivivere la sensazione che aveva provato il giorno prima, ma non ci riuscí. Ciò che l'aveva determinata – qualunque cosa fosse – era svanito. Adesso c'era solo un silenzio squallido e l'appartamento sembrava disabitato da settimane. Ovunque si vedevano le tracce di polvere di alluminio usata per rilevare eventuali impronte digitali.

– Controlliamo tutto. Scrivania, cassetti, armadi, sotto il letto, nel bagno.

– Stiamo cercando qualcosa in particolare?

– Assegni, cambiali, documenti del genere. Poi qualunque cosa insolita che dovesse saltar fuori.

Montemurro annuí, ma non si mosse.

– Cosa c'è?

– Mi scusi se insisto, ma prima in macchina non mi ha risposto. Da come si comporta sembra quasi che non ci sia una persona già in carcere, con un bel po' di prove a carico, per questo omicidio. Sembra che siamo alla ricerca di una pista, come se non avessimo idea di cosa è successo. Mi sbaglio? E se non mi sbaglio, qual è il problema?

Fenoglio dovette reprimere un leggero moto di irritazione. La domanda era corretta e legittima. Però lo innervosiva, perché tirava in ballo quella intuizione che lui stesso non riusciva a classificare, e richiedeva una spiegazione che non era capace di articolare con precisione.

– Non lo so bene, qual è il problema. Una risposta semplice alla tua domanda è che manca il movente, per questo omicidio, e frugando qua dentro forse potremo trovarlo. È una risposta semplice ed è anche vera.

– Ma?

– Ma in effetti non è la ragione fondamentale per cui siamo tornati qua. C'è qualcosa fuori posto, in questa faccenda. Forse proprio perché sembra tutto *troppo* a posto.

– Come se qualcuno avesse incastrato il ragazzo?

– No, non penso questo, – disse dopo qualche attimo di riflessione. – Comunque, – aggiunse conclusivamente, – è probabile che sia solo una sensazione infondata. Diamo un'occhiata come si deve e togliamoci il pensiero.

Perquisirono con cura l'appartamento, che si riduceva all'ingresso, al soggiorno, alla camera da letto e alla cucina dove era stato commesso l'omicidio. Guardarono nei pochi mobili che arredavano la casa; controllarono sotto il letto, cercarono eventuali casseforti, nascondigli, spazi cavi nel muro, cassetti segreti. Frugarono tra gli abiti e la biancheria di Fraddosio, e come ogni volta Fenoglio avvertí il disagio di mettere le mani nella parte piú tristemente intima della vita di una persona. Vecchi abiti, vecchie mutande, odore di chiuso, vita che se ne andava, ammesso che ci fosse mai stata.

– Maresciallo! – chiamò Montemurro dal bagno, mentre Fenoglio era in camera da letto.

– Che c'è?

– Venga qui a vedere.

Fenoglio entrò in bagno. Montemurro aveva svuotato un mobiletto di legno bianco, scrostato e sudicio. Aveva tirato fuori degli asciugamani consunti, qualche scatola di medicinali, preservativi sfusi e una pila di riviste porno. Fenoglio ne sfogliò tre o quattro, tenendole con la punta delle dita, come per evitare di sporcarsi. I soggetti ritratti nelle foto erano sempre mascherati, legati e imbavagliati, vestiti – per cosí dire – di pelle nera e latex, muniti di fruste, cinghie e simili. Insomma, a quanto pareva, il defunto signor Fraddosio aveva avuto gusti molto precisi in fatto di sesso.

– Nei prossimi giorni torniamo qua e li repertiamo. Magari questa merda non c'entra niente con quello che è successo. O magari sí, – disse Fenoglio, lasciando cadere per terra una rivista. In faccia aveva l'espressione di chi ha appena sentito un cattivo odore.

– Certamente lui conosceva l'assassino. Magari i gusti sessuali c'entrano, – disse Montemurro.

– Appunto. Guardiamo in giro con attenzione, se per caso ci fossero fruste o altri giocattoli del genere. Anche se, francamente, immaginarmi quel disgraziato vestito di latex mi sembra ai confini della realtà.

Però dopo un'altra mezz'ora di ricerche non avevano trovato nulla. Niente fruste, niente latex, niente cambiali. E i soli documenti, custoditi disordinatamente in un cassetto, erano alcune ricevute, qualche estratto di conto bancario, un modulo per un contratto di leasing. In fondo a un altro cassetto c'era una decina di banconote da cinquantamila lire e un mazzo di chiavi.

– Magari c'è uno scantinato, – disse Montemurro.

– Scendiamo a vedere.

La cantina c'era, ma ci trovarono solo cianfrusaglie, umido e puzza. Non restava che andarsene. Fra l'altro era ormai ora di pranzo.

Decimo

La regola di casa era che non si parlasse mai di lavoro. Serena non diceva quello che le succedeva a scuola – insegnava Italiano e Latino in un liceo scientifico – e Pietro non le raccontava delle sue indagini. A volte, però, in casi eccezionali, la regola veniva infranta.

– Allora, qual è il problema? – gli chiese Serena quando ebbero finito di mangiare.

– Che problema?

– Stupido sbirro, si capisce benissimo quando c'è qualcosa che non va, con te.

Fenoglio accennò un sorriso.

– Vuoi che faccia il caffè? – disse.

– Sí, grazie. Allora, che succede?

– Adesso ti racconto.

Fare il caffè per sua moglie era un rituale. Fenoglio versò nel bollitore della moka dell'acqua minerale non gassata. Fino alla valvola, senza coprirla. Poi riempí il filtro con la miscela, facendo attenzione a non pressare. Per dare la sua speciale profumazione aggiunse un cucchiaino di cacao. Con il manico del cucchiaino praticò tre forellini sulla superficie della polvere, richiuse la caffettiera, senza stringere con troppa forza, e la mise sul fornello.

– Vuoi anche la cremina? – chiese alla moglie.

– Sí, grazie, – rispose Serena con tono quasi formale, rispettando la liturgia.

Fenoglio mise due cucchiaini di zucchero in un bicchiere nel quale fece cadere le prime gocce di caffè non appena uscirono. Quindi mescolò energicamente sino a formare una crema, la divise in due tazzine e infine versò il caffè che nel frattempo era salito tutto.

– Abbiamo fermato un ragazzo per il caso di quel tizio che hanno ammazzato ieri. Ci sono un sacco di indizi contro di lui. Sembra un caso chiuso.

– Quindi?

– Quindi c'è qualcosa che non mi convince. Lo so che è assurdo, ma mi sembra tutto *troppo* perfetto. Proprio per questo è come se ci fosse qualcosa fuori posto. Qualcosa che non riesco a identificare. Una sensazione che mi sfugge.

– Perché questo ragazzo avrebbe commesso l'omicidio?

– Appunto. Non ne abbiamo idea. Però c'è una donna, una signora anziana ma lucidissima, che lo ha visto uscire dal palazzo dove è stato commesso l'omicidio, piú o meno all'ora che il medico legale indica come quella della morte. La stessa testimone lo ha visto sbarazzarsi di un pacchetto, buttandolo in un cassonetto, vicino al portone. Senza entrare nei dettagli: abbiamo trovato l'involucro e il contenuto, cioè la probabile arma del delitto, un coltello. E sulla carta, non sul coltello, che era stato ripulito, c'erano due frammenti di impronte digitali quasi certamente del ragazzo.

Serena aprí la finestra della cucina e si accese una sigaretta. Fenoglio represse l'impulso di chiederle quante ne avesse già fumate, quel giorno. Non sapeva come convincerla a smettere. Il pensiero che potesse ammalarsi per le maledette sigarette lo faceva impazzire, ma lei non sopportava di sentir parlare della questione.

– E il ragazzo che dice? Come si difende?

– Non si difende. Non c'è stato nessun interrogatorio formale, finora. Il magistrato dovrebbe sentirlo domani o al massimo dopodomani. Però, ovviamente, noi gli abbiamo parlato. All'inizio ha detto che non aveva ucciso nessuno, poi piú niente, si è chiuso. Il problema è che sembra sincero.

– Cosa te lo fa credere?

– Non lo so.

– Magari il ragazzo cerca di proteggere qualcuno.

– E chi lo sa? La testimone lo ha visto da solo…

Si interruppe, come se un'idea improvvisa gli avesse attraversato il cervello. Rimase in silenzio un paio di minuti. Serena non si intromise. Finí di fumare la sigaretta, la spense sotto il rubinetto, buttò la cicca nella spazzatura.

– Scusa, tesoro, – disse Fenoglio. – Mi è venuta un'idea. Cioè, non è proprio un'idea, insomma devo controllare alcune cose. Poi giuro che ti racconto.

Lei annuí, con un sorriso vago. Lui si infilò l'impermeabile e uscí.

Undicesimo

Fenoglio arrivò in ufficio e andò diritto a recuperare
il fascicolo dell'omicidio Fraddosio. L'informativa era
già stata trasmessa in procura e, come risultava dalle richieste di notifica arrivate dal Gip, l'udienza di convalida del fermo era già stata fissata.

Prese il walkman che teneva nel cassetto della scrivania. Lo caricò con la cassetta che usava per concen-
trarsi. *Celebre adagio*, *Aria sulla quarta corda*, *Canone di
Pachelbel*, intermezzo della *Cavalleria rusticana*, *Musica
sull'acqua*.

Sfogliò rapidamente tutti gli atti: verbali di sopral-
luogo, di sequestro, di fermo; la relazione di Cutrone, le
sommarie informazioni dei condomini, nessuno dei quali aveva visto niente. Notò che i verbali dei condomini
erano solo quattro, a parte la Cassano. La palazzina era
di cinque piani, con due appartamenti per pianerottolo.
Si ripromise di verificare per quale motivo gli altri inquilini non fossero stati sentiti. Forse gli appartamenti
erano vuoti; forse erano abitati da anziani piú anziani
della Cassano; persone che non soltanto non sapevano
niente, ma che non aveva nemmeno senso portare in
caserma e interrogare.

In ogni caso, la mattina successiva sarebbe tornato
sul posto e avrebbe verificato, si disse, archiviando mentalmente la questione. Passò a leggere l'atto centrale:

le sommarie informazioni di Cassano Graziella, vedova Lattarulo. L'intestazione del verbale redatto da Grandolfo diceva che la Cassano era nata a Bari nel 1914, che era vedova e pensionata e che, «interrogata su fatti a sua conoscenza, dichiarava quanto segue».

Poi cominciava la sequenza degli A.D.R. – «A domanda risponde». L'espediente che da sempre si usa, nei verbali di polizia, per scrivere solo le risposte, lasciando le domande – quali che siano state – all'immaginazione dei futuri lettori.

A.D.R. Abito nella palazzina n. 4 del complesso residenziale denominato *Villaggio dell'operaio*.

A.D.R. Conoscevo il defunto Fraddosio Sabino solo per ragioni di condominio ma non ho mai avuto particolari rapporti con lui. Non so che lavoro facesse anche se ho sentito dire che percepiva una pensione di invalidità.

A.D.R. Se davvero percepiva questa pensione non ne capisco il motivo perché a me sembrava che stesse benissimo.

A.D.R. Questa mattina rientrando a casa dopo aver fatto la spesa mi imbattevo in un giovane dell'apparente età di venti/venticinque anni, alto circa un metro e ottanta, carnagione olivastra, magro, che usciva precipitosamente dalla palazzina ove risiedo. Insospettita dalla sua presenza poiché non lo avevo mai visto prima, gli ho chiesto cosa ci faceva nel condominio. Il giovane, che sembrava avere molta fretta, mi ha risposto che doveva fare una consegna ma che aveva sbagliato palazzina. Subito dopo si allontanava. Insospettita dal suo contegno mi affacciavo dal portone e facevo in tempo a notare che, portatosi presso un cassonetto della nettezza urbana, si sbarazzava dell'involucro che aveva con sé. Subito dopo saliva a bordo di un'autovettura parcheggiata nelle immediate vicinanze e poco dopo si allontava.

A.D.R. Non sono in grado di indicare il modello dell'auto in questione. Non era un'auto grande ed era di colore azzurro. Sono però riuscita a leggere e successivamente annotare il numero di targa della ridetta vettura.

A.D.R. Prendo atto che voi carabinieri mi chiedete come mai abbia pensato di prendere il numero della targa dell'autovettura su cui è salito il giovane e con la quale si è allontanato. Prendo atto che sembra un comportamento non comune e preciso che da tempo ho l'abitudine di annotare i numeri di targa delle autovetture che non conosco per essere di proprietà di altri condomini e che parcheggiano nei paraggi di casa mia, sui posti condominiali.

A.D.R. Ho preso questa abitudine da quando ho saputo che c'erano stati dei furti nel complesso in cui abito. In questo caso poi il sospetto nei confronti del giovane in questione era intensificato dal fatto che avevo appena constatato che egli aveva detto una menzogna. Egli infatti mi aveva detto di dover fare una consegna ma poco dopo si era sbarazzato, gettandolo in un cassonetto, dell'unico oggetto che avrebbe potuto consegnare. Preciso peraltro che io non avevo creduto a quello che mi aveva detto il giovane, a proposito della suddetta possibile consegna. Il tono della sua voce e l'atteggiamento trafelato indicavano chiaramente che stava scappando per imprecisate ragioni.

A.D.R. Ho letto il numero della targa, l'ho imparato a memoria ripetendolo mentalmente più volte e poi, non appena arrivata su a casa, l'ho trascritto su un foglietto di carta che ho riposto insieme a tutti gli altri. Il foglietto è quello che ho consegnato materialmente a voi carabinieri presso la mia abitazione, ancor prima di redigere il presente verbale.

A.D.R. Prendo atto della vostra perplessità e non posso che confermare quello che ho appena detto. Ho imparato a memoria il numero di quella targa e una volta arrivata a casa l'ho trascritto sul foglietto che ho provveduto a consegnarvi presso la mia abitazione. Ripeto che altre volte ho fatto la stessa cosa, in qualche caso procedendo allo stesso modo, in altri casi avvistando l'autovettura sospetta dal balcone di casa e provvedendo direttamente all'annotazione del numero di targa su un foglietto o su un quaderno.

A.D.R. Come risulta dal foglietto che vi ho consegnato, ho l'abitudine di annotare il numero di targa e la data dell'avvistamento. Tutti i foglietti che conservo sono così. In passato non mi è mai capitato di consegnare uno di questi foglietti alle forze dell'ordine ma comunque li conservo perché non si sa mai.

A.D.R. Confermo che dopo essersi sbarazzato dell'involucro di carta che aveva in mano, quando ci siamo incrociati il giovane è salito a bordo dell'auto suddetta che subito dopo è partita.

A.D.R. Se rivedessi il giovane in questione credo che sarei in grado di riconoscerlo.

Si dà atto a questo punto che alla signora Cassano Lattarulo viene mostrato il sacchetto di carta reperito nel cassonetto della nettezza urbana e di cui a separato verbale di sequestro.

A.D.R. Il sacchetto che il giovane aveva in mano era come questo. Non sono in grado di dire se fosse proprio questo perché, come vedete anche voi carabinieri, si tratta di un sacchetto molto comune. Certo però era di questo tipo e di questo colore.

A.D.R. Non sono in grado di dire cosa ci fosse nel sacchetto.

Non ho altro da aggiungere.
Letto, confermato e sottoscritto.

Sembrava ci fosse tutto. Eppure, nelle pieghe dei verbali, si nasconde spesso qualcosa. Qualcosa che è stato detto ma non è stato notato. O qualcosa che poteva essere detto e non lo è stato. Perché chi parlava ha dimenticato, non ha dato importanza a un dettaglio o semplicemente non ha ricevuto la domanda giusta.

Fenoglio chiuse il fascicolo proprio mentre partivano le prime note del *Canone di Pachelbel*. Gli piaceva molto che la musica nelle cuffie lo escludesse da tutto il resto, e in particolare da quello che accadeva nell'ufficio.

Controllò l'ora, poi guardò fuori. Aveva smesso di piovere e cosí decise di camminare. Sarebbe arrivato in centro e magari si sarebbe comprato un disco o un libro. O tutti e due. Il pensiero da solo gli migliorò l'umore. Poi sarebbe andato a trovare l'albino. La mattina dopo sarebbe tornato al *Villaggio dell'operaio*, avrebbe parlato

di nuovo con la Cassano, avrebbe controllato se ci fosse
qualche altro inquilino che poteva riferire qualcosa di
utile. Improbabile ma non impossibile.

Solo dopo avrebbe deciso se, quando e come sentire
la fidanzata di Fornelli, si disse conclusivamente, rendendosi conto solo in quel momento che, come gli capitava a volte, aveva dialogato con sé stesso borbottando.
Per fortuna nella stanza non c'era nessuno.

Lasciò che gli archi e il basso ostinato esaurissero la
loro corsa, spense il walkman, e uscí.

Dodicesimo

In libreria, come d'abitudine, vagò a lungo tra gli scaffali, salutando di tanto in tanto un commesso o un altro frequentatore abituale come lui. Alla fine comprò due libri. Per sé un saggio sulla psicologia della menzogna – argomento che lo ossessionava – e per sua moglie un romanzo di Simenon.

Poi si spostò nel suo negozio preferito di dischi e strumenti musicali. Era un ambiente un po' polveroso, che odorava di carta, legno e ottone. Fenoglio amava girare fra gli strumenti in esposizione, soprattutto quelli a fiato. Gli piaceva toccarli e pensare che un giorno avrebbe trovato il coraggio – e il tempo – per prendere lezioni di sassofono, come sognava da anni. Rimase lí dentro un quarto d'ora; prima di uscire comprò un disco, il *Concerto per clarinetto K622* di Mozart.

Decise di fare un giro dei posti dove poteva incontrare qualcuno dei suoi confidenti. Non trovò quasi nessuno. I due balordi con cui riuscí a parlare, nei pressi di una palestra di judo nel cuore del quartiere Libertà, non conoscevano né Fraddosio né Fornelli.

Alle sei e mezzo si diresse verso il circolo di Marasciulo Vito, *alias* l'albino. Pregiudicato per reati contro il patrimonio, ricettatore in grande stile e gestore di bische.

Un criminale può diventare informatore di un carabiniere – o di un poliziotto, o di un finanziere – per tante ragioni, diversissime fra loro. Perché vuole eliminare un avversario in qualche attività illegale; perché, in cambio delle informazioni, chiede che i suoi affari non siano troppo disturbati; a volte per amicizia; a volte solo per il gusto di accusare qualcuno: il gusto dell'infamità, inconfessabile e delizioso.

L'albino era diventato confidente di Fenoglio per gratitudine e rispetto.

Anni prima una pattuglia del radiomobile aveva fermato un giovane teppista e gli aveva sequestrato il ciclomotore. Quello non aveva preso la cosa in modo sportivo, si era agitato, aveva detto qualche parola di troppo e alla fine, senza troppi complimenti, era stato caricato in macchina e portato in caserma. Gli stavano insegnando la buona educazione a ceffoni quando era arrivato Fenoglio e li aveva fatti smettere. Completati gli atti – sequestro del mezzo, denuncia per oltraggio ma non per resistenza – aveva lasciato andare il ragazzo. Con qualche ammaccatura, ma tutto sommato in buone condizioni.

Il giorno dopo l'albino si era presentato in caserma e aveva chiesto di parlare con lui.

«Mi chiamo Marasciulo Vito. Sono il padre del ragazzo di ieri».

Fenoglio aveva annuito senza dire niente.

«Vi sono debitore. Quando vi serve qualcosa mi potete cercare».

Senza aggiungere altro gli aveva stretto la mano e se n'era andato.

Da allora, se aveva bisogno di informazioni, Fenoglio andava da Vito l'albino. Di rado accadeva qualcosa nel sottomondo di Bari su cui Marasciulo non avesse qualche notizia – o non fosse in grado di procurarla. Con gli anni erano diventati quasi amici, anche se nessuno dei due lo avrebbe mai ammesso.

– C'è Vito? – chiese il maresciallo al giovinastro che faceva il turno di guardia davanti alla sala giochi. Era uno nuovo e assomigliava in modo impressionante al calciatore Bruno Conti.

– Chi sei?

Prima che Fenoglio rispondesse arrivò Palmisano Pasquale detto *'u rizz'*, uno dei piú vecchi collaboratori dell'albino.

– Buonasera, marescia', scusate, questo non vi conosce. Vito vi sta aspettando al bar.

Fenoglio lo trovò seduto a un tavolino, da solo. Come sempre, beveva un brandy e fumava una sigaretta.

– Accomodatevi. Cosa prendete?

– Niente, grazie.

Vito annuí, era la risposta consueta, quasi un rituale. Svuotò il bicchiere e lo alzò, mostrandolo al barista. Quello arrivò subito con una bottiglia di Vecchia Romagna e riempí senza parsimonia.

– Allora che mi dici, Vito?

– Quello dava i soldi. Sicuro.

– Sono stato a casa sua e non c'era niente. Niente cambiali, niente assegni, niente brogliacci o libri mastri.

– A regola 'sta roba non la tieni a casa. Se ce l'hai a casa sei coglione. Magari ci aveva un garage o uno scantinato o qualche altro posto.

– Hai ragione, ma non so dove andare a cercarlo, questo altro posto. Nello scantinato di casa ci siamo stati, ma non c'era niente neanche là. Avrei bisogno di scoprire chi era almeno qualcuno dei suoi clienti.

– Dovete andare al bar *Calimero*, vicino alla chiesa russa. Dice che stava sempre là.

– Bar *Calimero*? Che razza di nome è?

L'altro si strinse nelle spalle con l'espressione di chi non si stupisce di nulla. Figuriamoci per il nome di un bar.

– E di quello che abbiamo fermato hai saputo qualcosa?

Marasciulo scosse la testa.

– Non lo conosce nessuno. Non è roba dell'ambiente.

Fenoglio si passò la mano sul viso, sentendo il ruvido della barba che dalla mattina era già ricresciuta.

– Non aveva parenti, il tizio? – chiese Vito.

– Era divorziato, e comunque la moglie è morta. Pare ci sia un fratello, da qualche parte, lo stiamo cercando.

– Ma a casa non avete trovato proprio niente? Nemmeno soldi?

– Un po' di soldi. E nel bagno dei giornali porno sadomaso. Hai saputo nulla, se era uno sporcaccione?

– No. Solo che dava i soldi e che ci aveva due ragazzi che fanno full contact che andavano quando qualcuno tardava a pagare. Due pezzi di merda che gli piace dare mazzate, gli piace fare male. Però non erano soci. Quando aveva bisogno li mandava e poi gli dava una percentuale su quello che recuperavano.

– Li conosci?

– No. Serve che mi faccio dire i nomi?

– Tu fatteli dire, poi vediamo se serve o no.

Rimase a riflettere un paio di minuti mentre Vito svuotava il suo bicchiere di brandy e se lo faceva riempire di nuovo. Alla fine si alzò, spingendo indietro la sedia e facendola scricchiolare sotto il suo peso.

– Grazie, Vito, buonanotte. E vacci piano con quello, – disse indicando il brandy.

L'albino tirò fuori un sorriso che era una specie di

ghigno, fece di sí con la testa – *Certo, come no?*, voleva dire –, sollevò il bicchiere in una specie di brindisi beffardo e lo svuotò, per l'ennesima volta.

Tredicesimo

Il giorno dopo Fenoglio si alzò di cattivo umore, forse per via della pioggia che aveva ricominciato a cadere con ritmo puntiglioso la sera precedente e non accennava a smettere o anche solo a diminuire. Avrebbe dovuto prendere l'auto per andare in ufficio, e questo lo infastidiva, perché significava rinunciare alla lunga passeggiata che ogni mattina lo portava da casa alla caserma. Sempre con qualche piccolo cambiamento di itinerario, per tenere lo sguardo in esercizio.

Quando una giornata iniziava in quel modo, veniva colto da pensieri molesti di ogni tipo – a volte *molto* molesti o addirittura paurosi, come per esempio l'idea che Serena potesse ammalarsi – e chissà perché gli veniva voglia di riprendere a fumare.

Si fece doccia e barba ascoltando alla filodiffusione la Terza sinfonia di Beethoven, e questo migliorò almeno un poco la situazione. Sarebbe passato dall'ufficio, ci sarebbe rimasto lo stretto indispensabile per sentire le eventuali novità e subito dopo sarebbe uscito – *Scappo via*, fu l'espressione che si materializzò nella sua testa – portandosi Montemurro. Innanzitutto sarebbe andato al bar *Calimero* e poi al *Villaggio dell'operaio*. All'eventuale seguito avrebbe pensato dopo.

In caserma il primo che incontrò fu Grandolfo.

– Notizie del fratello di Fraddosio?

– L'ho trovato. Vive in un paesino del Piemonte. Ci ho parlato poco fa, per telefono.

– Che ha detto?

– Non sembrava sconvolto.

– Me l'immaginavo. Da quanto non vedeva il fratello?

– Dieci anni.

– Prego?

– Hai capito bene: dieci anni.

– Bella famiglia. E quand'è l'ultima volta che si sono sentiti?

– Non se lo ricorda. Forse l'anno scorso. Non sapeva praticamente nulla di suo fratello. Lo faccio prendere comunque lo stesso a verbale dai colleghi di là?

Fenoglio si passò la mano sulla fronte e si stropicciò gli occhi, come se non si fosse ancora ben svegliato.

– Sí, cosí evitiamo che fra qualche mese il professore di turno ci dica che facciamo le indagini in modo sciatto. La convalida del fermo è stamattina?

– Sí.

– La fanno in tribunale o il giudice va in carcere?

– Tribunale.

– Manda qualcuno a dare un'occhiata. Voglio sapere subito se ha risposto all'interrogatorio o se si è avvalso della facoltà di non rispondere. E voglio sapere se ha nominato un difensore di fiducia, e nel caso chi è.

Cercò Montemurro, gli disse di prendere le chiavi dell'Alfa 33 beige e dieci minuti dopo erano per strada. La claustrofobia dell'anima che lo prendeva in giornate come quella cominciò ad attenuarsi.

– Sai dov'è la chiesa russa?

– Sí, andiamo là?

– Lí vicino. Quando siamo nei paraggi ti dico.

– Ma poi perché c'è una chiesa russa a Bari?

– San Nicola. È un santo molto popolare da quelle parti. La sai la storia di san Nicola?

– No, qual è?

– In realtà non è la storia di san Nicola, è la storia di come sono arrivate qui le sue ossa. Furono rubate a Mira, in Turchia, nel 1087 da un equipaggio di marinai baresi. Fino ad allora la città era sprovvista di un santo patrono. Fu cosí che Nicola diventò coattivamente il protettore di Bari. Quelli di Mira, nei secoli, hanno provato a chiedere indietro le reliquie e da qua gli hanno sempre risposto che san Nicola aveva scelto Bari. Se fosse stato contrario all'idea, avrebbe impedito il furto delle sue ossa o scatenato una tempesta per fermare la fuga dei marinai baresi.

Montemurro lo guardò con la coda dell'occhio.

– Se l'è inventata.

– No, no. È tutta vera. Fai un salto in libreria o in biblioteca e controlla. Ecco la chiesa russa. Gira alla prossima a sinistra e dovremmo essere arrivati.

Il bar c'era e si chiamava proprio *Calimero*, come aveva detto l'albino. Sull'insegna c'era anche una riproduzione del pulcino nero della pubblicità Mira Lanza. Chissà per quali misteriosi motivi avevano chiamato un bar in quel modo, si chiese Fenoglio entrando e guardandosi attorno. C'erano tre tavolini malandati e deserti, qualche cornetto secco dietro una vetrinetta, poche bottiglie sugli scaffali alle spalle del barista.

– Buongiorno, – disse il maresciallo accostandosi al banco.

Il barista capí che si trattava di sbirri e rispose con un cenno del capo carico di ostilità. Montemurro lo guardò male. Fenoglio parve non farci caso.

– Due caffè, – proseguí, sorridendo. Sorridendo *troppo*.

Quello preparò i caffè e con deliberata malagrazia li depose sul bancone.

– Non ha lo zucchero di canna?

– No.

– Peccato, – continuò Fenoglio, – dovrebbe procurarselo. Tutti i dietologi sostengono che sia piú sano e comporti meno rischi di diabete.

Bevve il caffè, poggiò la tazzina sul piattino, guardò in faccia il barista.

– Lei lo conosceva un tale Fraddosio Sabino?

Il barista scosse la testa.

– Come no? Quello che è stato ammazzato due giorni fa. Non ha saputo la notizia? Mi dicono che passasse parecchio tempo qui, davanti al suo bar. Ho avuto un'informazione sbagliata?

– Non lo so che informazione vi hanno dato. Non conosco nessuno. Qui viene un sacco di gente, se devo dare confidenza a tutti non lavoro piú.

– Hai ragione, il lavoro è importante. Mi viene un'idea: per farti lavorare meglio, da domani mando una pattuglia a controllare i tuoi clienti, due volte la mattina e due volte il pomeriggio. Tutti i giorni, cosí siamo sicuri che qua davanti non si trattengano pregiudicati. Ah, a proposito, quando fai il turno di riposo?

Quello lo guardò come si guarda un pazzo.

– Il turno di riposo?

– Il turno di riposo, sí. È una domanda strana?

– Il martedí.

– Ecco, il martedí non li mando. Tutti gli altri giorni passano, cosí ti fanno compagnia, e con i malintenzionati che ci sono in giro è pure un bel vantaggio. Sei contento? E adesso ce ne andiamo insieme in caserma. Cosí me lo dici a verbale, che non sai niente e che non conosci nessuno.

– E il bar chi lo tiene aperto?

– Se non c'è nessuno che lo tiene aperto, lo devi chiudere. Mi dispiace tanto. Ma non ti preoccupare, non ci vorrà niente, fra sei o sette ore abbiamo finito.

Fenoglio guardò il barista e sorrise di nuovo con espressione soave. Arrivarono due clienti che chiesero il caffè. Il barista li preparò, con movimenti nervosi. Li servì, prese i soldi, li salutò.

– Veniva qua, tutte le mattine, – disse piegandosi verso Fenoglio e Montemurro, abbassando la voce, anche se non c'era nessun altro che lo potesse sentire.

– Anche la mattina che lo hanno ammazzato?

– Mi pare di sí.

– Che vuol dire: mi pare?

– È venuto.

– A che ora?

– Veniva sempre verso le nove.

– Anche l'altroieri?

– Piú o meno.

– E di solito a che ora se ne andava?

– Stava piú o meno fino alle dodici.

– E quella mattina?

– Se n'è andato prima, ma non so esattamente quando. Stava sempre fuori, non è che vedevo proprio quando se ne andava.

– È passato qualcuno a prenderlo?

– Non lo so.

– Non fare lo stronzo.

Il barista si guardò attorno, con aria preoccupata.

– Qualcuno ha detto che è venuta una ragazza, ma io non l'ho vista.

– Com'era?

– Non l'ho vista.

– E chi l'ha vista che dice? Era bassa, grassa, alta, magra, bella, brutta?

– Dice che era alta.

– Era una faccia conosciuta?

– Nessuno ha detto che la conosceva.

– Era venuta altre volte?

– Non lo so.

Fenoglio lo guardò diritto negli occhi.

– Vi giuro che non lo so. Non credo, però, perché non ne vengono tante, di ragazze, e se qualcuno l'aveva già vista me lo diceva. Penso di no.

– Veniva spesso gente a trovarlo qua davanti, vero?

Il barista annuí.

– Uomini e donne?

– Soprattutto uomini, ma a volte anche qualche donna.

– Ragazze giovani?

Scosse la testa.

– Era tutta gente grande.

Fenoglio sospirò e si girò verso l'ingresso. Erano arrivati dei clienti, nessuno che avresti voluto incontrare in un vicolo buio. Mise duemila lire sul bancone.

– Ci vediamo. Mi raccomando, la prossima volta fammi trovare lo zucchero di canna.

Quattordicesimo

– Perché non gli ha chiesto chi aveva visto la ragazza
che era venuta a prendere Fraddosio davanti al bar? –
chiese Montemurro quando furono risaliti in macchina.
– Perché non ce l'avrebbe detto. Non in quel con-
testo, nel suo bar, con i clienti che arrivavano e con i
balordi che frequentano il posto che si chiedevano cosa
avesse Pierino da dire agli sbirri.
– Pierino?
– Se non conosco il nome di qualcuno, lo chiamo Pierino. È come dire «l'amico Fritz». Comunque, ho preferito non forzarlo troppo. Adesso cerchiamo di capire
chi potrebbe essere questa ragazza e se c'entra con la
faccenda, cosa probabile, in effetti, considerata la tem-
pistica. Poi, se è necessario, torniamo da Pierino, lo in-
vitiamo in caserma e ci facciamo dire tutto in modo piú
formale. Dài, metti in moto e andiamo.
– Dove?
– Torniamo al *Villaggio dell'operaio.*
C'era traffico e impiegarono un quarto d'ora per fare poco piú di un chilometro. Parcheggiarono di nuovo
vicino al cassonetto; citofonarono e dopo una ventina
di secondi la voce gracchiante e carica di accento della signora Cassano balzò fuori dal vecchio microfono.
– Chi è?
– Siamo i carabinieri, signora. Possiamo salire?

– Chi?

– Ho detto che siamo i carabinieri, signora. Possiamo salire?

Si sentí una specie di borbottio, come un gracidare. Poi la serratura ronzò e il portone si aprí.

Fecero le scale a piedi, arrivarono sul pianerottolo e trovarono la vecchia che li aspettava con la porta aperta.

– Buongiorno, signora, si ricorda di noi? – disse Fenoglio.

– Di voi sí. Di quello no.

– È un mio collega. Volevamo farle ancora qualche domanda, per chiarire alcuni dettagli. Ci vorranno dieci minuti al massimo.

La donna li guardò per qualche istante, poi si scostò, lasciandoli entrare.

– Però io alla caserma non ci vengo di nuovo.

– Non c'è bisogno, non si preoccupi. Tre o quattro domande e ce ne andiamo.

La casa aveva sempre lo stesso odore di naftalina e di polvere. Le pile di giornali, i sacchetti di plastica strapieni di oggetti, i cumuli vagamente osceni di vecchi abiti, erano ancora là. Montemurro, che due giorni prima non era entrato nell'appartamento, si guardava attorno con un'espressione in bilico fra lo stupore e il disgusto.

Come la volta precedente, la signora Cassano fece accomodare i carabinieri nel soggiorno.

– Mia nuora mi ha detto che devo andare a fare la testimonianza al processo. Io non ci voglio andare, al processo, in faccia a quel delinquente.

– Non si preoccupi. Non è detto che sia necessario. Adesso le chiediamo solo un altro piccolo sforzo. Va bene?

Malvolentieri la donna annuí.

– Lei ha detto di avere incontrato quel ragazzo mentre stava rientrando a casa dopo aver fatto la spesa. È giusto?

– Sí.

– Scendeva di fretta e lei gli ha domandato che cosa ci faceva nel palazzo. Lui ha risposto che doveva fare una consegna, e le ha fatto vedere il pacchetto che aveva in mano, ma che aveva sbagliato edificio. Giusto?

– Giusto.

– Poi cosa è successo?

– Quello che vi ho detto. È andato al cassonetto e ha buttato quella carta, insomma quel pacchetto. Cosí ho capito che era una bugia il fatto della consegna, ma già si capiva prima, perché quello non sembrava proprio uno che fa le consegne.

– Il ragazzo lei lo ha incontrato nel portone, vero?

– Sí, e poi sono uscita per vedere che faceva.

– Lui si è accorto che lei era uscita?

– No. Ha buttato quel coso nel cassonetto ed è salito in macchina.

– E a quel punto lei ha preso il numero di targa. Prima di salire a casa ha visto se la macchina partiva?

– Sí... mi sembra di sí. Ora non sono sicura. Dopo però mi sono affacciata al balcone e la macchina non c'era piú.

– Facciamo un passo indietro, – disse Fenoglio, poi si interruppe, come se gli fosse venuta un'idea. Diede un'occhiata fuori: aveva smesso di piovere. – Anzi, signora, se non le dispiace, scendiamo di sotto, cosí mi fa vedere bene dove stava lei, dove stava la macchina e tutto il resto.

La Cassano sospirò e disse che andava bene, ma doveva mettere le scarpe e il cappotto perché faceva freddo, era umido e rischiava di ammalarsi.

Cinque minuti dopo erano fuori, davanti al portone.

– Da qua riesce a leggere il numero di targa della nostra macchina, quella?

La donna lesse senza fatica. Anche su questo punto diceva senz'altro la verità.

– Adesso il mio collega proverà a rifare i movimenti della persona che lei ha visto l'altroieri. Lei ci dica se è tutto uguale. Va bene? Vai, Montemurro.

Montemurro andò a passo rapido verso il cassonetto. Lo aprí e fece il gesto di buttare qualcosa. Si girò verso la macchina, tirò fuori le chiavi, aprí lo sportello e stava per entrare quando la vecchia lo fermò.

– No, non ha fatto cosí.

– Che vuol dire? – chiese Fenoglio.

– Non ha aperto con le chiavi e non è entrato da quella parte: è entrato dall'altra, – disse la vecchia indicando con sicurezza il lato del passeggero.

– Questo lo ha detto, signora, quando il mio collega l'ha verbalizzata?

La Cassano, per la prima volta, apparve indecisa, incerta.

– No, credo… non mi ricordo. Forse no. Come faccio a dire…

– Non si preoccupi. Può capitare di non ricordarsi un dettaglio. Lei ci ha già aiutato molto, ma adesso si concentri. È sicura che il ragazzo sia entrato dal lato del passeggero?

La donna fece di sí con la testa.

– Ha fatto il giro… è entrato da quella parte.

Fornelli non era solo, quella mattina. Fenoglio si sentí meglio, come se l'immagine che fin lí non era riuscito a mettere a fuoco, fosse diventata un po' piú nitida. Avvertí quel formicolio del cervello tipico dei momenti in cui si avvicinava alla soluzione di un problema. Gli tornò in mente che Serena lo aveva detto, che forse il ragazzo proteggeva qualcuno.

– Come faceva a saperlo? – chiese Montemurro, che non riusciva a togliersi un'espressione stupefatta dal viso.

– Non lo sapevo. È come andare a pesca. A volte prendi qualcosa, altre volte no. Andiamo sopra cinque minuti. Queste dichiarazioni dobbiamo verbalizzarle.

– E la macchina da scrivere?

– Prendi qualche foglio dall'auto. Lo faccio io a mano, il verbale.

Quindicesimo

Fenoglio compilò il verbale a penna, con la sua grafia elegante, aguzza e regolare, rispettando i margini, creando una pagina che sembrava quasi stampata. Rilesse ad alta voce domande e risposte, diede il foglio alla Cassano perché lo firmasse e, andandosene, assicurò alla donna che non l'avrebbero piú disturbata.

– Mi mancava l'aria. Tutti quei sacchetti, quelle vecchie riviste... – disse Montemurro quando furono fuori.

– Capita spesso agli anziani. Accumulano senza buttare via niente. Credo sia un modo per combattere l'angoscia, la paura della morte. Attaccarsi agli oggetti. Comunque quello che c'è nella casa della Cassano non è niente. Una volta ho visto veramente la casa degli orrori.

– Di chi era?

– Era un'indagine su un tizio, un medico in pensione, che aveva abusato di alcuni bambini. Li attirava nei portoni, sai, il repertorio classico dello schifo. Dopo averlo arrestato perquisimmo casa sua: non ho mai visto niente di simile in tutta la mia vita.

– Cioè?

– Ti dico solo che si entrava a fatica, per quanto era piena di roba. C'era solo una specie di strettissimo sentiero fra sacchetti, pile di riviste, oggetti ammucchiati. E poi l'odore, era insopportabile. Uno dei miei vomitò sul pavimento. Ecco, in momenti del genere pensi che non sei cosí entusiasta di fare questo lavoro.

Montemurro lasciò passare una ventina di secondi, come per elaborare quello che aveva appena sentito.

– Che facciamo adesso?

– Ho riletto le carte. Solo alcuni dei condomini sono stati sentiti e hanno detto di non sapere nulla. Vediamo se troviamo gli altri. Probabile che non abbiano niente da dire, ma voglio lo stesso fare un tentativo. Poi facciamo il punto su questa faccenda della ragazza.

Salirono all'ultimo piano e cominciarono a suonare i campanelli. Nessuno apriva, nonostante gli squilli ripetuti. Soltanto a una porta si affacciò un ragazzino in vestaglia. Era a casa con la febbre, i suoi genitori erano al lavoro, quando era successo il fatto non c'era nessuno a casa sua.

– Forse dovremmo ripassare di pomeriggio, – disse Montemurro.

– Forse sí. Bussiamo agli ultimi due e andiamocene, – disse Fenoglio, pigiando il pulsante dell'ennesimo campanello. Passò un minuto senza che nessuno venisse ad aprire. L'appartamento non aveva targhetta.

– Non c'è nessuno in questo cazzo di condominio, – disse Montemurro.

– Riproviamo, – fece Fenoglio, e pigiò di nuovo, con piú insistenza, anche lui lievemente esasperato. Dopo una trentina di secondi la porta si aprí e apparve un ometto in pigiama, con una pancia rotonda, pochi capelli e un marcato prognatismo. Sembrava un bulldog francese.

– Buongiorno, siamo carabinieri. Forse stava dormendo e l'abbiamo svegliata, – disse Fenoglio.

Quello strizzò gli occhi, con l'espressione di chi non ha sentito – o non ha capito – bene.

– Carabinieri? – chiese con voce nasale, priva di colore.

– Sí, signore. Del nucleo operativo, e avremmo bisogno di farle alcune domande per un'indagine.

– Ma non dovreste farmi vedere un documento?

– Certo, – disse Fenoglio. Tirò fuori il portafogli, lo aprí e mostrò il tesserino di riconoscimento, con la sua faccia di parecchi anni prima. Il tizio lo fissò come se si trattasse di un oggetto strano. Poi guardò la faccia di Fenoglio, decise che erano la stessa persona, annuí con espressione affaticata e li fece entrare.

– Ci spiace di averla svegliata. Signor…

– Cutrignelli. Siete venuti per l'omicidio di Fraddosio, vero?

– Sí, le dispiace se ci sediamo cinque minuti? Se vuole può andarsi a vestire, noi l'aspettiamo.

L'uomo li fece entrare in cucina e disse che sarebbe tornato subito.

– Che mestiere fa questo, in pigiama alle undici e mezzo?

– Probabilmente è un ferroviere che ha fatto il turno di notte.

– Perché un ferroviere?

– Quando ritorna chiediglielo cosa fa e vediamo. Magari mi sbaglio. Anzi, comincia proprio tu a sentirlo. Poi il verbale lo scrivo io.

Cinque minuti dopo Cutrignelli ricomparve, vestito con dei jeans e un cardigan dall'aria poco pulita. Aveva qualche goccia d'acqua in faccia, residuo di una asciugatura sommaria, e un paio di occhiali dalla montatura antiquata. Fenoglio fece un impercettibile cenno col capo a Montemurro.

– Signor Cutrignelli, come ha immaginato siamo qui

per l'indagine sull'omicidio del suo condomino Fraddosio Sabino. Ovviamente lo conosceva.

– Qualche volta lo incontravo per le scale, ma non
è che parlavamo o cose del genere. Buongiorno e buonasera e finiva là.

– Certo, una conoscenza, diciamo, superficiale. Sa
cosa faceva nella vita il Fraddosio?

– No. Vi ho detto che eravamo solo a buongiorno e
buonasera.

– Certo, certo. Da quanto tempo abita in questa casa?

– Due anni. Era di mia zia, poi lei è morta e io ho
ereditato.

– Ah, ecco. Lei di cosa si occupa?

– Sono ferroviere.

Montemurro ebbe un lieve sussulto prima di proseguire. Si sforzò di non guardare Fenoglio.

– Vive solo?

– Sí.

– Era in casa il giorno dell'omicidio?

– La mattina, poi sono andato al lavoro. Sono con-
trollore, dovevo fare la tratta adriatica.

– Quando è stata l'ultima volta che ha visto il Fraddosio?

– Quella mattina.

Lo disse con quella voce nasale, piatta, senza espressione. Eppure fu come se avesse liberato nell'aria una
scossa di elettricità.

– Si ricorda a che ora? – si inserí Fenoglio.

– Erano le dieci e un quarto.

– Come fa a essere cosí preciso?

– Stavo andando a prendere servizio, dovevo arrivare in stazione alle undici meno un quarto. Esco sempre
piú o meno una mezz'ora prima.

– Dove vi siete incontrati, esattamente?

– Per strada. Però non è che ci siamo proprio incontrati.

– Mi faccia capire, lei stava uscendo e Fraddosio...

– Fraddosio stava tornando a casa. O andava in direzione di casa. Ci siamo incrociati a una cinquantina di metri dal cancello, ma lui era sull'altro marciapiede.

– Vi siete salutati?

– No, non credo nemmeno che mi ha visto.

– Era solo o in compagnia di qualcuno?

– Non era solo.

Fenoglio prese un respiro profondo. Cutrignelli era il tipo di testimone che lo rendeva nervoso, di quelli a cui bisogna estrarre le informazioni una alla volta. Istintivamente non collaborativi.

– Con chi era?

– Una ragazza, camminavano vicino.

– Sarebbe in grado di descriverla?

– No, è stato un secondo. Io andavo di fretta e non stavo a pensare a loro.

Fenoglio si prese una pausa per riflettere. Non bisognava essere Sherlock Holmes per concludere che la ragazza di cui parlava il ferroviere era la stessa alla quale aveva accennato il barista. Erano gli orari che rendevano il tutto piuttosto complicato. La chiamata al 112 era arrivata poco dopo le dodici; alle dieci e quindici Fraddosio era fuori da casa sua con una ragazza sconosciuta, di cui non esisteva alcuna descrizione. In un momento imprecisato fra quei due orari Fornelli usciva dalla casa della vittima e si sbarazzava del coltello che verosimilmente aveva usato per uccidere. Tempi stretti, per tenere tutto insieme.

– Non può dirci proprio niente sull'aspetto della ragazza?

– Sembrava bella.

Appena furono per strada Montemurro gli fece la domanda.

– Come aveva fatto a capire che è un ferroviere?

– Deduzioni, dettagli, piccolissimi particolari elaborati. Sono anni di esperienza e di osservazioni che ti portano a questi straordinari risultati, – rispose Fenoglio sorridendo.

– Quali piccolissimi particolari? – disse Montemurro con una lieve nota di irritazione nella voce.

– Per esempio, una giacca da ferroviere sull'appendiabiti nell'ingresso di casa?

Sedicesimo

– Chi può essere la ragazza? – disse Montemurro, dopo aver bevuto la sua spremuta d'arancia a un tavolino del bar *Riviera*, a qualche centinaio di metri dalla caserma.

Fenoglio respirò rumorosamente, si grattò il naso e scosse la testa. Giocherellò con il cucchiaino e i fondi del caffè per almeno un minuto. Poi tornò a rivolgersi a Montemurro.

– Sai qual è il lavoro che assomiglia di più a quello dell'investigatore, in casi come questo?

– Il medico, ho letto da qualche parte. Loro fanno le diagnosi, noi le ipotesi investigative.

– Anche quello, in effetti. Fai una ipotesi e cerchi di verificarla. Però questa fase arriva quando sei riuscito a formularla, l'ipotesi. Allora ti poni il problema di come verificarla. Ma noi al momento un'ipotesi soddisfacente non ce l'abbiamo. Cioè, per essere più precisi: abbiamo molto più di un'ipotesi per quanto riguarda un *pezzo* del comportamento di Fornelli. È sicuro che sia uscito dalla casa di Fraddosio poco dopo la sua morte con l'arma del delitto. Dunque è molto probabile che sia l'autore materiale dell'omicidio. Ci manca qualsiasi spiegazione del quadro d'insieme, del prima e del dopo. Chi è la ragazza che è andata a trovare Fraddosio al *Calimero* e con la quale stava camminando alle dieci e quindici; perché ci

è andata e che fine ha fatto; per quale motivo il Fraddosio e Fornelli si sono incontrati; cosa è successo, intendo
cosa ha indotto Fornelli a sgozzare Fraddosio; chi era il
tizio che aspettava Fornelli in auto, vicino al cassonetto.
Insomma non abbiamo un'idea, al di là del fatto che poi
dovremmo verificarla, cioè provarla, su cosa potrebbe
essere accaduto prima e dopo l'omicidio.

– E dunque?

– E dunque il nostro problema, come ti dicevo, è piú
simile a quello di uno scrittore che deve elaborare una
buona storia. Plausibile. Non so se mi spiego.

– Non sono sicuro di avere capito. Che c'entra una
buona storia con il nostro lavoro?

– Che dici, mangiamo qualcosa?

Montemurro rovesciò gli occhi. Seguire i cambi di ritmo di Fenoglio non era sempre facile. Ordinarono panini
e birre. Fuori il cielo, dopo tanta pioggia, cominciava a
sgombrarsi. Spiragli sempre piú ampi si aprivano nella
trama fitta e grigia delle nuvole che avevano chiuso per
ore l'orizzonte del mare.

– Le indagini si occupano sempre di un fatto passato, giusto?

– Giusto, – disse Montemurro con qualche esitazione.

– Per cercare di ricostruire cosa è successo nel passato dobbiamo immaginarci una sequenza di fatti. Cioè,
appunto, una storia. In altri termini: *come potrebbero
essere andati i fatti*. Una storia plausibile deve include-
re gli elementi che abbiamo già e deve essere verificata
attraverso la ricerca di nuovi elementi.

Montemurro scosse la testa, come chi abbia idee con-
fuse e con quel movimento cerchi di rimetterle materialmente a posto. Fenoglio continuò a parlare.

– C'era un magistrato con cui ho collaborato per anni. Mi ha insegnato un sacco di cose, ma due in particolare hanno cambiato il mio modo di fare questo lavoro.

– Quali?

– Una è quella che ti ho appena detto. Per risolvere i casi complicati bisogna essere capaci di costruire una storia, partendo dagli indizi disponibili, che contenga una spiegazione plausibile di tutti gli elementi che abbiamo. Ci vuole una certa dose di fantasia ed è un lavoro simile a quello di uno scrittore. Una volta costruita questa storia, che è, in sostanza, un'ipotesi su come potrebbero essersi svolti i fatti, bisogna andare alla ricerca delle conferme. Cosí è un po' piú chiaro?

Montemurro annuí.

– Se l'ipotesi sembra confermata dai nostri accertamenti, dobbiamo proseguire in maniera controintuitiva. Cioè cercare eventuali elementi che la contraddicano.

– Perché?

– Il rischio di avere una buona ipotesi di spiegazione dei fatti è che questa ci piaccia troppo. Allora andiamo alla ricerca esclusivamente di quello che la conferma senza vedere quello che potrebbe smentirla. Questo magistrato mi diceva che per essere investigatori migliori, piú efficaci, dovevamo ragionare come se fossimo stati gli avvocati delle persone su cui stavamo indagando.

– Non capisco.

– Significa che dobbiamo cercare i punti deboli delle nostre ipotesi. Una volta che li abbiamo trovati dobbiamo verificare se possono essere rinforzati. Se ci riusciamo, forse l'ipotesi che abbiamo è valida. Ma se non ci riusciamo, forse va abbandonata, perché non è davvero adatta a spiegare quello che è successo. La cosa peggiore che può fare un investigatore è innamorarsi della propria

ipotesi, ignorandone le debolezze ed evitando delibe-
ratamente di *vedere* gli elementi che la contraddicono.

Finirono i panini e le birre e per qualche minuto
non parlarono. La conversazione riprese dopo l'arrivo
dei caffè.

– Secondo te cosa dovremmo fare per mettere insieme
una storia accettabile che ricostruisca senza contraddi-
zioni quello che può essere successo, tenendo conto di
tutti gli elementi che abbiamo?

Montemurro si grattò la testa, bevve il caffè.

– Come ha detto lei, il problema è nei tempi. Alle
dodici , quando la donna di servizio è arrivata a casa di
Fraddosio, lui era già morto da un po'. Alle dieci e quindici era per strada con la ragazza misteriosa. La Cassano non sa dirci un'ora precisa per l'incontro con il ragazzo, ma il tutto dovrebbe essere accaduto non prima
delle dieci e trenta e non piú tardi delle undici e trenta.
È un tempo stretto per costruire un'ipotesi plausibile.

– È un tempo stretto, – ripeté Fenoglio, senza guardare Montemurro. Lo disse come se avesse voluto in-
tendere qualcosa di diverso, con una nota che risultò
ambigua a lui stesso.

– Fraddosio saluta la ragazza, arriva a casa, viene raggiunto da Fornelli, prepara il caffè, parlano, qualcosa va
storto, Fornelli prende il coltello e lo uccide. Pulisce in
giro, esce, incontra la Cassano, si sbarazza del coltello
e del sacchetto di carta in cui lo aveva nascosto, sale a
bordo di un'auto dove un complice lo sta aspettando e
vanno via...

– In realtà lui non sale a bordo di *un'*auto. Sale a
bordo dell'auto di suo padre. Si va a commettere un
omicidio parcheggiando per strada in bella vista l'auto
di tuo padre?

– Forse non era andato a commettere un omicidio. Forse si sono incontrati senza che lui avesse in mente di commettere l'omicidio.

– Già, forse non era andato a commettere l'omicidio.

– Fraddosio faceva l'usuraio. Magari Fornelli aveva preso dei soldi a prestito, hanno litigato per la restituzione ed è finita male.

– È un ragazzo, ha ventidue anni. Perché dovrebbe prendere soldi a strozzo? Il padre ha un negozio...

– Potrebbe essere il padre che ha preso soldi a strozzo. Magari ha dei problemi con l'azienda, che ne sappiamo?

– Stavo pensando la stessa cosa. E poi c'è il problema dell'altro uomo in macchina. Perché Fornelli si è fatto accompagnare?

Diciassettesimo

Rientrati in caserma, Fenoglio andò di nuovo ad aprire il fascicolo. Montemurro lo guardò prendere degli appunti su un blocchetto, rimanendo in piedi. Stava ancora scrivendo quando arrivò il brigadiere Grandolfo.

– C'è stata l'udienza, – disse tenendo in mano un paio di fogli.

– Che ha fatto Fornelli, ha risposto al giudice?

– No, si è avvalso della facoltà di non rispondere. Questo è il provvedimento del giudice: convalida del fermo e ordinanza di custodia cautelare in carcere.

Fenoglio prese le carte che il brigadiere gli stava porgendo.

– Chi ha nominato come difensore?

– Non ha fatto lui la nomina, sono stati i familiari. Un avvocato giovane, non l'avevo mai sentito. Guerrieri, mi pare si chiami.

Il maresciallo si sedette e lesse l'ordinanza. Il giudice si era, in pratica, limitato a ricopiare il contenuto del verbale di fermo, precisando che

per la particolare efferatezza del crimine (già del tutto provato all'esito della brillante investigazione condotta dai carabinieri del nucleo operativo) possono ritenersi sussistenti tutte le esigenze cautelari di cui all'articolo 274 codice di procedura penale e in particolare:
– rischio di inquinamento delle prove poiché la propensio-

ne criminale del Fornelli lascia ragionevolmente supporre che, se libero da vincoli, si attiverebbe per intimidire la testimone chiave e per indurla a ritrattare;

– pericolo di fuga per via della consistenza della pena che sicuramente verrà irrogata all'esito del dibattimento e che costituisce incentivo a sottrarsi alla sanzione;

– rischio di reiterazione di reati della stessa indole (violenza sulla persona e uso di armi) agevolmente desumibili dalla determinazione e spregiudicatezza con cui l'omicidio oggetto di procedimento è stato commesso.

Fenoglio lo conosceva l'avvocato nominato dal padre di Fornelli. Era poco piú che un ragazzo e aveva cominciato la professione da pochi anni. Una volta si erano incontrati in tribunale e avevano chiacchierato di libri, entrambi stupiti del fatto che l'altro amasse leggere. Gli venne in mente che Guerrieri gli aveva consigliato un libro, *Lo Zen e l'arte della manutenzione della motocicletta*. Ci aveva trovato una frase che lo aveva colpito moltissimo: «Alcune cose ci sfuggono perché sono cosí impercettibili che le trascuriamo. Ma altre non le vediamo proprio perché sono enormi». Sentí il bisogno di uscire.

– Ci vediamo domani, – disse infilandosi l'impermeabile.

Montemurro rimase lí a chiedersi cosa fosse successo.

La corta giornata di tardo autunno volgeva all'oscurità. Il cielo e le nuvole residue, dopo la pioggia, sviluppavano varie tonalità del blu e dell'indaco. Il mare era già scuro e nondimeno aveva qualcosa di rassicurante.

Fenoglio si diresse con decisione verso nord. Girò a sinistra all'altezza del cinema *Santalucia* e puntò verso il centro. Raggiunse il teatro *Petruzzelli*, lo superò, arrivò in via Putignani e la percorse fino a via Sparano, che cominciava ad affollarsi per il passeggio e lo shopping del venerdí pomeriggio. A quel punto rallentò il ritmo della camminata, interruppe l'apnea dei pensieri nella quale si era immerso da quando era uscito e si guardò attorno.

Tra le grandi fioriere, nella strada chiusa al traffico, scorreva un flusso ininterrotto di gente. Ragazzi in bomber, cinte con fibbie vistose, pantaloni che lasciavano vedere i calzini, capelli pieni di gel profumati alla mela; ragazze con grandi cerchi alle orecchie, jeans verdi, scarpe da ginnastica, borse a secchiello. Odori di chewing gum alla menta, deodoranti di ogni tipo. Signore con acconciature cotonate, molto oro addosso, profumi costosi. Uomini con cappotti di cammello dalle spalle larghe e geometriche, sciarpe con disegni cachemire, profumi costosi.

Fenoglio solcava la folla e come al solito, in quelle situazioni, aveva l'impressione di nuotare in un acquario, fra entità diverse da lui che osservava ma che non era capace di comprendere fino in fondo.

Era quasi arrivato all'angolo di via Piccinni, davanti alla *Rinascente*, quando sentí un odore che lo fece sobbalzare. Un profumo, in realtà. Si voltò quasi di scatto, gli era appena passata accanto una signora. Era sola e camminava piuttosto rapida, come se avesse un appuntamento o comunque una meta precisa. Dopo un attimo di esitazione prese a seguirla cercando di accorciare la distanza. Quando fu a un paio di metri da lei avvertí di nuovo il profumo e dopo un isolato, vincendo l'imbarazzo, decise di fermarla.

– Signora, buonasera, e mi scusi. Sono un maresciallo dei carabinieri, ho bisogno di farle una domanda che le sembrerà strana, ma è per un'indagine delicata in corso.

Sul viso della donna si disegnò un'espressione quantomeno perplessa. Doveva avere una quarantina d'anni, non era né bella né brutta, aveva addosso abiti che –

pensò Fenoglio – sua moglie non avrebbe mai potuto permettersi.

– Lei è un carabiniere? – chiese, esagerando l'altezza del suono dell'ultima sillaba.

– Sí, scusi, ecco il mio documento. Mi occorre solo sapere, per un'indagine, ripeto, il nome del suo profumo.

– Il mio profumo? – stesso innalzamento stupefatto della voce prima del punto di domanda. Fenoglio si rese conto che doveva fornire qualche spiegazione, per evitare che la donna, non irragionevolmente, pensasse che era pazzo.

– Sí, signora, è un profumo che ho percepito, – *Percepito*? Ma come parlo? – sul luogo di un reato. Conoscerne il nome potrebbe essere importante per lo sviluppo delle indagini.

La donna si prese qualche secondo per elaborare l'informazione. Poi dovette decidere che anche se la domanda era bizzarra, non le costava nulla rispondere.

– *Poison*, di Dior.

– Grazie, mi scusi se l'ho importunata. Buonasera.

Senza aspettare che la donna ricambiasse il saluto, Fenoglio corse alla ricerca di una cabina telefonica. Chiamò in ufficio e chiese se Montemurro fosse ancora lí. Un minuto dopo glielo passarono.

– Ascolta, devi trovarmi l'indirizzo della ragazza di Fornelli. Poi prendi una macchina e raggiungimi davanti al *Petruzzelli*.

– È già qui.

– Chi?

– La ragazza di Fornelli.

Fenoglio rimase in silenzio, a lungo.

– Maresciallo?

– Sí. Perché è lí?

– È arrivata una decina di minuti fa. Dice che vuole parlare con lei, che è urgente. Ho provato a chiamarla a casa, ma sua moglie mi ha detto che non era rientrato...

– Sto arrivando.

Diciottesimo

Era seduta davanti alla scrivania, le mani in grembo, pallidissima, un po' curva, lo sguardo fisso davanti a sé. Sembrava in trance. Quando si accorse dell'ingresso di Fenoglio e Montemurro, si raddrizzò bruscamente.

– Buonasera, signorina. Mi hanno detto che ha chiesto di parlare con me.

La ragazza annuì. I suoi occhi erano in direzione del viso di Fenoglio, ma lo sguardo era altrove. Rimase cosí per qualche secondo, poi respirò a fondo e cominciò a parlare.

– Nicola non ha fatto niente. Sono stata io.

Nella stanza calò il silenzio. Dopo una decina di secondi si percepiva soltanto il ticchettio lontano di una macchina da scrivere. Fenoglio annuì, socchiudendo gli occhi.

– Andiamo con ordine. Vuole raccontarci da principio cosa è successo?

– Sí, – però non disse nulla.

– Le faccio portare qualcosa? Un bicchiere d'acqua, un caffè?

Lei scosse la testa.

– La mattina… quando è successo il fatto, ero uscita di casa per andare al lavoro.

– Cosa fa?

– In realtà studio. Però faccio anche l'indossatrice in

uno showroom, o per qualche sfilata, quando ci sono le nuove collezioni. Mi guadagno qualche soldo.

– Quindi mercoledí mattina doveva andare a lavorare in questo showroom?

– Per piacere, non mi dia del lei. Non so perché, ma mi mette ancora di piú a disagio.

– Va bene. Mi stavi dicendo...

– Ero uscita dopo aver salutato mia madre e mio padre che erano ancora in casa. Per strada mi sono accorta di avere dimenticato le chiavi del motorino e sono tornata su. Ho aperto la porta e ho sentito i miei genitori che discutevano a voce alta. Non succede mai, mi sono stupita e incuriosita.

– Non si sono accorti che eri rientrata?

– No, per questo hanno continuato. Mio padre quasi gridava. Ero spaventata: lui non alza mai la voce. Mi sono fermata nell'ingresso ad ascoltare.

– Di cosa parlavano?

– Ci ho messo un poco a capire. Mio padre diceva che stava per fallire, che le banche non gli facevano piú credito, che aveva dovuto rivolgersi agli strozzini e non sapeva come restituirli, quei soldi, e che quella era gente pericolosa e cose del genere. Mia madre gli chiedeva perché non le avesse detto niente e lui rispondeva che aveva cercato di tenerci fuori da quella storia, ma che adesso non sapeva che fare, perché *quelli* volevano sempre piú soldi e lui non li aveva e che sarebbe andato a parlarci per cercare di ottenere una dilazione. Era sconvolto. Fino a quel momento mio padre era stato come Dio, per me. Mi sembrava inconcepibile che si comportasse cosí e che si fosse messo in una situazione simile.

– Quando doveva andare a parlarci?

– Quella mattina stessa. Diceva che avrebbe cercato

di convincerli a dargli una dilazione e che poi avrebbero dovuto, lui e mamma, trovare una soluzione insieme. Parlò anche della possibilità di andarsene via da Bari, di scappare.

– Intendeva da solo?

– Non lo so. Diceva: se bisogna andare via, si va via. Mamma gli ha chiesto perché non si rivolgeva alla polizia e lui le ha chiesto se voleva farlo ammazzare, che se andava dalla polizia *quelli* lo avrebbero ammazzato. Ho ascoltato ancora un poco, poi, senza fare rumore, sono uscita di nuovo. Era come se all'improvviso la mia vita, la mia vita *normale*, fosse andata in pezzi. Nemmeno lo so perché ho deciso di seguirlo e vedere dove andava.

– Lo hai seguito?

– Sí. Quando è sceso di casa gli sono andata dietro.

– Cosa pensavi di fare?

– Non lo so, gliel'ho detto.

– E lui non se n'è accorto?

– Non si è mai voltato. Camminava curvo. Mio padre è uno sportivo, è stato un campione di tennis. Era insopportabile vederlo in quelle condizioni, come se fosse diventato un vecchio da un momento all'altro.

– Hai fratelli o sorelle?

– No, sono figlia unica.

– Scusa l'interruzione. Per piacere, prosegui.

– Posso fumare una sigaretta?

– Certo. Montemurro, prendi un posacenere. Sicura di non volere anche qualcosa da bere, Maria?

– Un po' d'acqua, grazie, – disse la ragazza, accendendosi una Peter Stuyvesant. Fenoglio ci fece caso: sigarette forti, poco diffuse. Sigarette da uomini. La ragazza, cosí bella, era un tipo duro.

– Quindi dicevi che lo hai seguito? È durata molto?

– Abbiamo camminato piú o meno per un quarto d'ora, lui avanti e io dietro. Alla fine siamo arrivati...

– Al bar *Calimero*, vicino alla chiesa russa?

La ragazza guardò Fenoglio, poi Montemurro, poi di nuovo Fenoglio. Aspirò la sigaretta con violenza, dopo essersela portata alla bocca con la mano che tremava.

– Già lo sapete, allora. Sapete tutto?

Fenoglio fece una faccia che poteva significare qualsiasi cosa.

– Cosa è successo davanti al bar? – le chiese.

La ragazza aspirò di nuovo, due volte di seguito, lasciando passare meno di un secondo fra una boccata e l'altra.

– Papà si è incontrato con... con quello, insomma. Hanno cominciato a parlare, ma sembravano tranquilli. Poi si è avvicinato un altro tizio, un piccoletto che era piú agitato, gesticolava, e a un certo punto... ha dato uno schiaffo a mio padre, e poi un altro... e mio padre non ha reagito.

– Chi lo ha preso a schiaffi?

– Il secondo arrivato, non... quello che... è morto. Il piccoletto. Era la metà di mio padre, lo aveva preso a schiaffi e lui non aveva reagito, si era fatto umiliare. Mi è sembrato di impazzire.

– Nessuno si è intromesso?

– No.

– Poi cosa è successo?

– Hanno parlato ancora un po' e mio padre se n'è andato.

– Si sono scambiati qualcosa? Tuo padre gli ha dato qualcosa, o il contrario?

– No, cioè, non credo. Non ero vicinissima, ma non mi sembra.

– E dopo?

– Sono rimasta lí, senza sapere cosa fare. Ogni tanto guardavo verso il bar e quello... il primo, voglio dire, l'altro se n'era andato... era sempre lí, nello stesso posto. Alla fine ho deciso che gli avrei parlato.

– Per dirgli cosa?

– Non lo so, non ero lucida, – rispose Maria con una nota di esasperazione nella voce. Fenoglio lasciò che quel momento di irritazione svanisse. La ragazza schiacciò la sigaretta nel posacenere senza riuscire a spegnerla del tutto. Il mozzicone rilasciava ancora un filo di fumo grigio che saliva perpendicolare nella stanza silenziosa. Fenoglio allungò la mano e lo spense lui stesso, sbriciolando il tabacco residuo.

– L'ho raggiunto, gli ho detto chi ero e che avevo bisogno di parlargli.

– E quello?

– All'inizio era stupito. Poi, quando gli ho ripetuto chi ero, mi ha risposto che se dovevamo parlare era meglio che andassimo da un'altra parte.

– E siete andati a casa sua.

– Non mi ha detto subito che saremmo andati da lui. Ha detto: «Camminiamo e andiamo da qualche altra parte, ché qua ci vedono tutti».

– Che voleva dire?

– Non lo so.

– Che ora era?

– Le dieci, piú o meno. Ci siamo incamminati, io gli ho detto che sapevo che mio padre aveva dei debiti e che dovevamo trovare un modo per risolvere la questione.

– E lui?

– Lui era strano, quasi gentile. Diceva che avevo ragione, che mio padre si era messo in un guaio, che il problema serio erano le persone che avevano messo i soldi, lui era solo un intermediario, diceva, perché si trattava di gente pericolosa. Però voleva aiutarmi, dovevamo capire come, ma avremmo trovato un modo. Cose del genere. A un certo punto siamo arrivati dalle parti di casa sua, e lui, come se l'idea gli fosse venuta in quel momento, ha detto che potevamo salire, prendere un caffè, fumarci una sigaretta e guardare insieme i conti del debito per capire come si poteva organizzare la restituzione con un po' piú di respiro. Magari anche con uno sconto.

– Cosí siete saliti.

– Cosí siamo saliti.

– Non avete incontrato nessuno?

– Nella palazzina? No, nessuno.

– Quindi siete entrati in casa.

– Sí, mi ha fatto entrare in cucina. Mi ha detto di sedermi e ha preparato il caffè. Gli ho chiesto di vedere i conti di mio padre. Lui ha risposto che le carte non le teneva in casa, per precauzione. Le teneva da un'altra parte, in un posto sicuro. Ma anche senza averle davanti sapeva che il debito, ormai, era di oltre settanta milioni.

– Dicendo «ormai» intendeva dire con gli interessi?

– Sí. Quando ho sentito la cifra le gambe mi hanno ceduto e mi sono resa conto dell'enormità della cosa, e di che idiozia avessi fatto ad andare là.

– E lui?

– Mi ha detto che se volevo potevo aiutarlo, mio padre. «Tu mi capisci», ha detto. Lo ha detto in modo molto tranquillo, come una cosa normale, e ha fatto un gesto che mi ha fatto venire da vomitare. Sono stata presa dal panico. Guardavo lui, guardavo il corridoio, mi chiedevo se sarei riuscita a scappare via, se ne avrei avuto la forza.

La ragazza si interruppe. Cominciò a torcersi le mani, a serrare le labbra come chi abbia un dolore improvviso e cerchi di non lamentarsi o non gridare. Riprese il racconto solo dopo qualche minuto.

– Ha messo la caffettiera sul tavolo e ha detto che andava in bagno perché voleva farsi il bidè. Ha detto proprio cosí: voleva farsi il bidè e profumarsi, per fare bella figura con me. Stavo per mettermi a piangere. Quando è uscito dalla cucina ho aperto il cassetto del tavolo, dove c'erano le posate, ho preso il coltello e l'ho messo in borsa. Era un coltello di quelli... ma sí, lo sapete, lo avete trovato.

Fenoglio le fece cenno di proseguire.

– Quello è tornato dal bagno. Si è seduto vicino a me e ha detto che potevo cominciare. Il caffè l'avrei bevuto dopo. Per rifarmi la bocca, ha detto. Allora ho tirato fuori il coltello, gli ho detto che se non mi lasciava in pace, se non lasciava in pace mio padre e la mia famiglia, lo avrei ammazzato. Ero come pazza. Lui si è messo a ridere, in un modo che mi ha terrorizzato. Aveva un po' di saliva che gli colava dalla bocca e quando ha smesso ha detto che ero... eccitante con quel coltello in mano, che gli sarebbe piaciuto ancora di piú farsi fare... quella cosa. Io ho ripetuto che se si avvicinava lo ammazzavo come un cane. Come la merda che era, gli ho detto.

– E lui?

– È rimasto seduto e ha detto che se non... se non gli sbottonavo i pantaloni e non glielo prendevo subito in bocca avrebbe fatto spezzare una gamba a mio padre. Gliel'avrebbe fatta spezzare da qualcuno esperto in queste cose, in modo che rimanesse zoppo per sempre.

– E dopo? – chiese Fenoglio, quasi sottovoce.

– Non me lo ricordo cosa è successo dopo. Però adesso capisco il significato dell'espressione *non vederci piú.*

Non ci ho visto piú, mi è sembrato che una luce bianca mi accecasse e quando è andata via quello era a terra, col sangue che schizzava dalla gola e… e…

La congiunzione si trasformò in un singhiozzo meccanico e terribile. Fenoglio la lasciò fare per un poco, poi le prese la mano e gliela strinse delicatamente.

– Va bene, va bene. Calma. Se vuoi, accendi un'altra sigaretta.

Maria tirò su col naso, annuí, accese la sigaretta e la fumò tutta, prima di riprendere a parlare.

– Il sangue ha fatto una bolla sulla bocca, le gambe si muovevano, ma non come se fosse lui a muoverle. Pareva che qualcuno gli desse delle scosse elettriche. Era come una specie di… un burattino. Mi sono messa la mano sulla bocca per non gridare e sono uscita dalla cucina. Non sapevo che fare, non avevo il coraggio di andarmene. Sarei dovuta scappare via, ma avevo paura di aprire la porta, di incontrare qualcuno, ero come paralizzata. I miei *pensieri* erano paralizzati, poi mi sono detta che l'unica cosa era chiamare Nicola.

– Dove lo hai chiamato?

– A quell'ora è sempre in negozio. Ho telefonato e ha risposto lui. Mi sono messa a piangere, a singhiozzare e l'ho implorato di venirmi a prendere.

– Gli hai spiegato cosa era successo?

– No, gli ho detto che ero in un casino terribile, e di venire il prima possibile, e che quando ci fossimo visti gli avrei spiegato tutto. Non mi riusciva di dire che avevo ammazzato una persona.

– Come facevi a sapere l'indirizzo preciso?

– Non lo sapevo, però vicino al telefono c'erano delle bollette, e lí sopra c'era scritto l'indirizzo e il nome di… quello. Gli ho detto di citofonare, ché gli avrei aperto.

– Quanto ci ha messo?

– È arrivato subito. Ha preso la macchina. Dal suo negozio poteva anche venire a piedi, ma in macchina non ci ha messo niente. Non so dire quanto. Forse dieci minuti, massimo un quarto d'ora. Non lo so. Io stavo nell'ingresso, vicino alla porta. Avevo paura di rientrare in cucina. Avevo paura che fosse ancora vivo, che si muovesse. Avevo paura di guardare la sua faccia e quella bolla di sangue... Oddio, che cazzo ho fatto, che cazzo ho fatto. Fino a un'ora prima la mia vita era normale e in un nulla era diventata... è diventata... un totale casino. La mia vita è finita, cazzo, cazzo, cazzo...

Fenoglio la lasciò sfogarsi. Dopo un poco la ragazza smise, quasi poggiò il mento sul petto e riprese a parlare.

– Quando Nicola è entrato in casa gli ho detto che cosa era successo. Cioè, no. Non lo so esattamente che cosa gli ho detto, ho provato a raccontargli, balbettavo. Poi lui è entrato in cucina e ha visto... quello, e il sangue...

– E cosa avete fatto?

– Lui è stato... non so come dire... bravo. Cioè, voglio dire... era agitato, ma aveva il controllo della situazione. Mi ha chiesto se avessi toccato qualcosa e io ho risposto che no, non mi pareva, a parte il coltello e il telefono, il citofono e la maniglia della porta. Allora ha detto che dovevamo pulire tutto e andarcene in fretta. Così siamo rientrati in cucina e credo di avere avuto una specie di crisi isterica. Era tutto pieno di sangue e quello era lí, morto, con uno squarcio alla gola, e mi sembrava impossibile di essere stata io. Nicola mi ha dato uno schiaffo, per calmarmi, poi mi ha detto di andare ad aspettarlo in macchina e di mettermi alla guida, così appena arrivava partivamo.

– E ti ha dato le chiavi.

– Sí, mi ha dato le chiavi. Io non volevo uscire perché ero terrorizzata al pensiero di incontrare qualcuno.
Ero certa che solo guardandomi chiunque avrebbe capito cosa avevo fatto. Lui mi ha detto che se perdevamo
altro tempo qualcuno sarebbe potuto arrivare e non ci
sarebbe stato modo di uscirne, da quella faccenda. Mi
ha ripetuto, quasi gridando, di scendere subito, e a quel
punto ho obbedito. Per le scale non ho incontrato nessuno, mi sono infilata in macchina e ho aspettato. Nicola è sceso cinque minuti dopo. Ha buttato il coltello
ed è salito in macchina.

– Che cosa ti ha detto quando siete andati via?

– Che aveva incontrato una vecchia uscendo dal portone. Era preoccupato perché lo aveva guardato in faccia e gli aveva anche chiesto che ci facesse nel palazzo.

– Lui cosa aveva risposto?

– Aveva in mano un sacchetto di carta in cui aveva
messo il coltello e la prima cosa che gli è venuto di dire
è stata che doveva consegnare una cosa ma che aveva
sbagliato indirizzo.

– Poi?

– Siamo andati a casa mia, mi ha lasciato là ed è tornato al negozio. L'ho rivisto quando l'avete portato via
dalla caserma. Volevo dirvi tutto subito, ma non sapevo… come fare, non sapevo come cominciare.

– Perché hai deciso di venire da noi oggi?

– Ho parlato con l'avvocato di Nicola.

– Guerrieri?

– Sí, mi pare si chiami cosí. Gli ho parlato in tribunale, dopo l'interrogatorio del giudice. Gli ho chiesto
com'era la situazione e lui mi ha detto che era brutta,
un sacco di prove a carico di Nicola. Pochissime speran-

ze di tirarlo fuori. Ha aggiunto che non aveva voluto rispondere all'interrogatorio, che non aveva detto niente neanche a lui e che gli sembrava un comportamento strano. Io gli ho detto che lui non aveva commesso l'omicidio, che lo sapevo.

– E l'avvocato?

– Mi ha guardato per un po', senza dire niente, senza chiedermi niente. Io non riuscivo a parlare. Mi vergognavo. Lui forse lo ha capito perché alla fine ha detto che se sapevo qualcosa di importante non dovevo tenerlo per me, e se non mi sentivo di parlare con lui, potevo cercare lei.

– Ha detto di cercare me?

– Sí, proprio cosí: cerca il maresciallo Fenoglio. Si occupa delle indagini. Se sai qualcosa, vai a parlare con lui. Lo ha detto con un tono... come per dire che mi potevo fidare.

Fenoglio si grattò inavvertitamente il naso. Il gesto di quando era in leggero imbarazzo. Si alzò e andò ad aprire la finestra. Aveva smesso di piovere, il cielo era quasi sgombro e il cortile della caserma si stava asciugando.

– Dovrai ripeterci queste cose a verbale, davanti a un avvocato. Lo sai, vero?

Lei annuí senza abbassare lo sguardo.

– Dovrò andare in carcere?

– Dipende dal magistrato. È possibile che tu vada per un po' agli arresti domiciliari. Non stasera, comunque.

– Quanto rischio?

– Immagino che avrai tutte le attenuanti. Potrai fare questa cosa prevista dal nuovo codice di procedura penale, il giudizio abbreviato, che consente un altro sconto di pena. Non lo so. Qualche anno, credo. L'avvocato sarà piú preciso.

– Nicola uscirà subito?

– Credo che bisognerà fare dei riscontri su quello che ci hai raccontato, ma a occhio e croce in qualche giorno dovrebbe essere fuori.

– Maresciallo...

– Sí?

– I miei genitori...

– Vuoi che gli parli io?

– Grazie.

– Adesso ti lasciamo sola per un po'. Dobbiamo avvertire qualche ufficiale, fare qualche telefonata, chiamare il magistrato... Ah, sai già da quale avvocato vuoi farti assistere?

– Può essere lo stesso di Nicola, quel Guerrieri?

– Non credo ci siano incompatibilità fra le vostre posizioni. Comunque questa è una valutazione del magistrato.

Montemurro era già uscito, Fenoglio era fra la porta e l'altra stanza, quando si voltò, come se improvvisamente si fosse ricordato qualcosa.

– Ah, c'era una domanda che volevo farti. Ma è solo una curiosità.

– Sí?

– Usi il profumo *Poison* di Dior?

– Come fa a saperlo?

Fenoglio accennò un sorriso, si strinse nelle spalle. Pensò che al massimo avrebbe potuto raccontarla a sua moglie, quella parte della storia, non se l'immaginava proprio di scriverla in un'informativa. Si girò e uscí.

Qualche ora dopo, quando tutto era finito, raggiunse la sua vecchia R4 rossa, parcheggiata nella strada deserta. Ogni tanto qualcuno gli chiedeva perché continuasse a girare con quel catorcio. Lui aveva smesso di rispondere. Si sedette e guardò a lungo davanti a sé, in nessun punto preciso. Si risvegliò solo quando sentí un brivido lungo la schiena. Allora prese una cassetta a caso, senza guardare, e schiacciò il pulsante del lettore. Sulle prime note dell'*Eroica* di Chopin, mise in moto e partí verso casa.

Le date, i nomi, i luoghi indicati in questo romanzo sono di fantasia.
I fatti sono realmente accaduti, altrove.

Ultimo

Nicola Fornelli fu scarcerato per sopravvenuta carenza di indizi una settimana dopo la confessione di Maria. Il procedimento a suo carico per omicidio venne archiviato. Fornelli rimase indagato per il reato di favoreggiamento nei confronti di Maria Colella. In particolare, secondo il capo di imputazione,

> per avere aiutato Colella Maria, responsabile dell'omicidio di Fraddosio Sabino, a eludere le investigazioni dell'autorità, aiutandola ad abbandonare il luogo del delitto, a cancellarne le tracce materiali, e sbarazzandosi dell'arma utilizzata per la commissione dello stesso.

Nicola patteggiò la pena di otto mesi di reclusione con la sospensione condizionale, e da allora non ha piú avuto a che fare con la giustizia penale.

Vive fuori dall'Italia, con la moglie Maria e i loro due figli.

Maria Colella fu indagata per il reato di omicidio e le fu applicata la misura cautelare degli arresti domiciliari. Pochi mesi dopo chiese di essere giudicata con il rito abbreviato e dopo un processo durato una settimana fu condannata – con le attenuanti generiche, l'attenuante della provocazione e la riduzione di pena per il rito – a sei anni e otto mesi di reclusione.

Ha finito di scontare la sua pena, con le riduzioni ulteriori dovute alla buona condotta, all'inizio del 1995.

Vive fuori dall'Italia, con il marito Nicola e i loro due figli.

Il carabiniere scelto Montemurro si è laureato nel 1996 e due anni dopo si è congedato dall'Arma. Oggi dirige una società che si occupa di sicurezza dei sistemi informatici e di investigazioni digitali. Non si è mai sposato.

Il maresciallo Pietro Fenoglio è andato in pensione nel 2011, dopo quarant'anni di servizio. Si è iscritto all'università e ha cominciato a scrivere sotto pseudonimo romanzi ispirati ai casi di cui si è occupato nella sua lunga carriera di investigatore.

Francesco Cardinale, figlio di Lorenzo detto 'u tuzz', è guarito.

Indice

Stampato per conto della Casa editrice Einaudi
presso ELCOGRAF S.p.A. - Stabilimento di Cles (Tn)

C.L. 23788

Edizione   Anno

4   5   6   7   2020   2021